S0-BHZ-584

BASTEI
LÜBBE
TASCHENBUCH

Weitere Titel der Autorin:

Die Pubertistin

Titel in der Regel auch als E-Book erhältlich

Anja Maier

LASSEN SIE MICH DURCH, ICH BIN MUTTER

Von Edel-Eltern und ihren Bestimmerkindern

BASTEI LÜBBE TASCHENBUCH
Band 60299

1. + 2. Auflage: November 2011
3. Auflage: Dezember 2011
4. Auflage: Februar 2012
5. Auflage: Mai 2012
6. Auflage: November 2012

Dieser Titel ist auch als E-Book erschienen

Bastei Lübbe Taschenbuch in der Bastei Lübbe GmbH & Co. KG

Originalausgabe

Textredaktion: Dr. Katharina Theml, Wiesbaden
Titelbild: © Image Source / Getty Images
Umschlaggestaltung: Pauline Schimmelpenninck Büro für Gestaltung, Berlin
Satz: hanseatenSatz-bremen, Bremen
Gesetzt aus der ITC Officina Sans Book
Druck und Verarbeitung: GGP Media GmbH, Pößneck
Printed in Germany
ISBN 978-3-404-60299-5

Sie finden uns im Internet unter
www. luebbe.de
Bitte beachten Sie auch: www.lesejury.de

Der Preis dieses Bandes versteht sich einschließlich
der gesetzlichen Mehrwertsteuer.

Für Thomas, Hanna und Wanda

Inhalt

Eine Rückkehr oder

Wie lebt's sich heute unter Eltern?

In Ostberlin, Stadtteil Prenzlauer Berg, wird jedes Wochenende ein soziales Ritual vollzogen. Männer und Frauen Ende dreißig entern samstags den Kollwitzmarkt. Die Männer tragen Babys vor dem Bauch, oder sie fahren sie in teuren Kinderwagen zwischen den Marktständen umher. Das schon leicht schüttere Haupthaar haben die späten Jungs kunstvoll drapiert. Ihre mitgebrachten Frauen und Freundinnen, gestiefelt und in kurzen bunten Kleidchen, trinken Kaffee und schauen den Kindern zu, wie sie mit ihren Laufrädern den Marktbesuchern über die Füße fahren oder mal probehalber an den Auslagen des Blumenhändlers rütteln. Beschwert sich jemand, setzt's böse Blicke.

Ob im Münchner Glockenbachviertel oder in Dresden-Neustadt, im Hamburger Schanzenviertel oder in Köln-Ehrenfeld, ob in den Unistädten mit angesagten Altstadtvierteln oder, oh ja, im Prenzlauer Berg – in den Großstädten dieses Landes hat sich eine neue soziale Schicht gebildet. Nennen wir sie die Macchiato- oder Edel-Eltern. Das sind die postbürgerlichen Eroberer deutscher Innenstädte, die urban und extravagant leben, aber nicht auf das verzichten mögen, was sie kennen: kleinstädtische Identität plus den Distinktionsgewinn einer Metropole. Geborgenheit für ihre Kinder wie in der Klippschule bei gleichzeitig maximalen Bildungsangeboten. Eine Elite, die über gute Bildung und ausreichend Geld verfügt und deren Nachwuchs in einem bildungsbürgerlichen Kokon aufwächst. Nirgendwo lässt sich die hemmungslose Selbstgentrifizierung dieser Generation so genau beobachten wie auf den angesagtesten elf Quadratkilometern Deutschlands: im Prenzlauer Berg.

Deutlich sichtbar tritt gerade hier jenes neue gewaltige Missverständnis zutage, dem die urbane Elterngeneration der Edel-Eltern erlegen ist. Das Missverständnis lautet: Das Kind ist unser Lebensinhalt. Es ist uns alles in einem: Glück, Sinn, Statussymbol, Jungbrunnen.

Natürlich ist ein Kind etwas Wunderbares. Von niemandem wird ein Erwachsener so vorbehaltlos geliebt, kein anderer Mensch sieht so über offenbare Schwächen hinweg und schenkt für die bloße Existenz als Mutter oder Vater dermaßen viel Bewunderung. Das ist großartig. Problematisch aber wird es, wenn das Kind herhalten muss für etwas anderes Sinnstiftendes – einen interessanten Job etwa oder die Frage, ob die eigene Beziehung noch trägt. Wenn es zur Ausrede dafür wird, sich beruflichen oder sozialen Konflikten nicht stellen zu müssen oder sich nach wilden Jahren des Ausagierens zurückziehen zu dürfen auf die alten bürgerlichen Werte: Familie, Zugehörigkeit, Bildung.

Ein Kind ist ja nicht nur ein gesellschaftlich akzeptierter Grund, eine Auszeit vom Alltag zu nehmen. Es macht in unserer demografisch gebeutelten Gesellschaft zugleich aus seiner Mutter und seinem Vater sozial höher stehende Edelwesen, die sich ihres privilegierten Status verdammt sicher sein können. Denn – machen wir uns nichts vor – der Habitus, mit dem in den Bionade-Vierteln Eltern mit ihren Tausend-Euro-Kinderwagen die Gehwege entlangpflügen, ist mitunter eine Zumutung. Er postuliert eine »Hoppla, hier komm ich«-Haltung und macht deutlich, dass aus dem Weg zu springen hat, wer sich nicht fortpflanzt.

Gemessen in Lebenszeit ist dies jedoch ein kurzer Triumph. Denn was Außenstehende nicht sehen, ist: Hinter den Türen der Altbauwohnungen, in den Wohnküchen und Parkettkinderzimmern wächst eine Generation heran, die ihre Eltern fest im Griff hat. Es sind Jungen und Mädchen, die schon jetzt ihre Familie dominieren, weil Mama und Papa ihnen den Spitzenplatz in ihrer biografischen Prioritätenliste freigeräumt haben. Diese Kinder haben das selbst nicht so entschieden – dennoch, für sie gilt stets: *Me first*. So erleben sie es Tag für Tag mit ihren Eltern, die sich ihnen als Personal zur Verfügung stellen. Und so wird es in den Straßen und Cafés, den Arztpraxen und Supermärkten dieser bundesdeutschen Stadtviertel zelebriert.

Es gibt sie tatsächlich, Mütter und Väter, die sich den Urlaub sparen, weil sie meinen, ihrer Charlotte unbedingt die bilinguale Privatschule zahlen zu müssen. Freiberufler, die sich keine Unfallversicherung leisten, weil sich der sechsjährige Jonathan die Reitbeteiligung offenbar so sehr wünscht. Vollzeitmütter, die kein eigenes Leben mehr haben, weil sie wie eine amerikanische Soccer Mom das ihrer Kinder organisieren und optimieren. Jederzeit verfügbar. Heraus kommen Hochdruckkinder, die Mandarin und Schlagzeug lernen und deren Mütter nur noch andere Mütter kennen, die alles dafür tun, dass das Leben ihres Kindes gelingen möge. Weil sie wenigstens das zufrieden machen könnte.

Und was ist mit ihrem Leben? Was mit Arbeit, eigenen Freunden, erwachsenen Interessen, der Beziehung? Warum sind Eltern bereit, für ihren Traum von Elternschaft und Nachkommen alle anderen Pläne fahren zu lassen? Es ist das Politische, das hier ins Private schwappt. Eine Gesellschaft, der die Sinnhaftigkeit von Arbeit verloren gegangen ist, die keine planbaren Biografien mehr kennt und als Ersatz für berufliche Entwicklung sich selbst aufgebende, steuerfinanzierte Elternschaft anbietet, ist tief verunsichert.

Seit der Wende sind 80 Prozent der ursprünglichen Bewohner aus dem Prenzlauer Berg weggezogen. Statt ihrer sind vor allem jene gekommen, die der kleinstädtischen Enge ihres überwiegend westdeutschen Elternhauses entfliehen wollten. Sie haben in den Neunzigern noch ein bisschen Party gemacht und irgendwas mit Medien. Unterwegs ist ihnen – und zwar leider meist den Frauen – der Studienabschluss aus dem Blick geraten, erst recht, als die Kinder kamen. Dann haben sie halt das gemacht: Kinder erziehen. Und sie haben Schulen gegründet, Fahrradstraßen erstritten, Wohnungen gekauft, und schließlich sind sie wieder in die Kirche eingetreten.

Meine Freundin Sibylle kriegt die Krise, wenn sie mir davon erzählt. Von den Buggygeschwadern, deren Wagenlenkerinnen strengen Blicks ihre Seitenstraße runtertrecken. Von den Schwaben im Bioladen, die »Des isch Berlin!« zischen, wenn das Laugengebäck mal wieder ausverkauft ist. Von den späten Müttern, die sichtlich erschöpft mit ihren Töchtern über die Blaumeise im Spielplatzgebüsch reden, als sei Kindheit ein einziges Weiterbildungsprogramm. »Das ist nicht mehr mein Viertel«, stöhnt Sibylle, »hier herrscht Familiendiktatur. Lauter Klugscheißer, die gleich die Polizei rufen, wenn's nachts mal lauter wird. Typen, die irgendwas mit Medien oder Politik machen, Fantasiemieten zahlen können, mit Ende dreißig ihr einziges Jetzt-wird's-aber-Zeit-Kind kriegen und dafür sorgen, dass hier inzwischen alles verkehrsberuhigt ist. Und am Sonntagmorgen pilgern sie in die Kirche zum Gottesdienst – als das Kind kam, sind sie halt doch wieder eingetreten. Ehrlich, wären die hier nicht alle so megakreativ angezogen, man könnte meinen, wir wären bei dir auf dem Dorf.«

Ich weiß, was Sibylle meint. Und worunter wir beide leiden: unter Machtverlust und unter allgemeinem Groll. Denn das hier war mal unser Viertel. Wir haben hier einst unsere Kinder geboren, haben sie auf dem noch nicht baubiologisch sanierten Kollwitz-Spielplatz buddeln lassen. Haben die Eröffnung des ersten Bioladens und die Einrichtung der ersten Tempo-30-Zone in der Kollwitzstraße erlebt – dass wir heute beim Überqueren derselben von Radlern mit Kinderanhänger beiseitegeklingelt werden würden, hätten wir uns nie träumen lassen.

Es konnte ja schließlich keiner ahnen, dass diese harmlos wirkenden Zugezogenen hier mal alles übernehmen würden. Die lockeren Männer und Frauen, denen wir vor fünfzehn Jahren mit unseren Kinderkarren entnervt in die Hacken gefahren sind, weil sie, den Kopf im Nacken, die Gehwege blockierten. Viel zu spät kapierten wir, dass die da keineswegs nach dem Wetter Ausschau hielten, sondern schon mal von außen die Fenster jener Wohnungen taxierten, die ihre Eltern ihnen zu kaufen beabsichtigten. Ich guckte mir das damals eine Weile an. Und ich spürte: Das ist nicht mehr meine Gegend, nicht mehr meine Auffassung vom Leben im Prenzlauer Berg, ich bin nicht mehr erwünscht. Ich schnappte Mann und Kinder, drehte von außen den Schlüssel unserer Fünf-Zimmer-Flucht um und verschleppte die ganze Bagage an den Stadtrand. Lieber langweilig im Grünen wohnen als langweilig zu gelten in einer Gegend, wo neuerdings kinderlose Medienfuzzis das Sagen hatten.

Sibylle ist geblieben. Sie hat hier ihre Tochter großgezogen, hat erlebt, wie aus den jungen Neubürgern von einst ungemein coole Kreativpaare wurden, die so mit Ende dreißig eilig ihren Luis oder die Selma gebaren. Und sie sah mit Sorge, wie die Familiendiktatur errichtet wurde. Überall brachen plötzlich pralle Schwangerenbäuche durch die Menge, es eröffneten Kinderklamottendesigner preisungünstige Geschäfte. An den Wochenenden war in den Frühstückscafés kein Durchkommen mehr – riesige Pulks von Neueltern hatten Stühle und Tische zu einer Art Festung zusammengeschoben, die Armada der Vintage- und Designer-Kinderwagen stellte den Befestigungsring dar. Es war ein Schreien und Schnattern, ein Greinen und Plappern, Stillen und Heulen. Und wer einfach nur frühstücken wollte, so wie Sibylle und ich, schien in den Augen dieser Ein-Kind-Eltern einer komplett vorgestrigen Generation von gebärstreikenden Müttern anzugehören und wurde entsprechend ignoriert.

Ich sitze in Sibylles sonnendurchfluteter Küche und lausche den Nöten meiner Freundin. Statt 450 Euro soll sie bald unverschämte 500 Euro zahlen – »11 Prozent Mieterhöhung? Da haben die beim Mieterverein nur höhnisch gelacht.« Und letzte Woche war zwei Stunden lang das Wasser abgestellt, »das ist doch eine Provokation, ein Vorgeschmack auf das, was uns als Mieter hier erwartet«, schimpft sie. Sie nimmt einen Schluck aus ihrem Wodkaglas und schaut zu mir hinüber ans andere Tischende. »Aber was red ich«, sagt sie und zeichnet mit dem Glasboden kleine Kondenswasserkreise, »du hast ja keine Ahnung, was hier inzwischen läuft. Haste vielleicht ganz richtig gemacht, hier wegzuziehen.«

Zehn Jahre lebe ich nun schon am Stadtrand, die Kinder sind drüber groß geworden, und ich bin inzwischen eine Postmom. Heute jammern die Töchter mir die Ohren voll, in was für eine grüne Einöde ich sie – die gebürtigen Hauptstädterinnen – verschleppt habe. Ich höre ihre Worte und erzähle was von guter Luft und kurzen Wegen. Ich mache das, damit wir uns alle besser fühlen. Denn natürlich fehlt auch mir die Stadt, meine Stadt. Aber ist sie das denn überhaupt noch? Meine Stadt? Mein Prenzlauer Berg?

Jetzt dominiert dort ein risikofreies urbanes Leben in ganz und gar geordneten Verhältnissen. Alle paar Meter ein noch abgefahreneres Geschäft. Cafés, in denen die Friedrichs und Alruns auf winzigen Stühlchen vor lactosefreiem Kakao sitzen. Spielplätze, auf denen Kinder buddeln, die gekleidet sind wie kleine Lords und Ladies auf Studienreise. Häuserlücken, in denen baubiologisch einwandfreie Townhouses und Lofts zum Verkauf stehen. Eine unvorstellbare Volvo-, Saab- und Therapeutendichte, Geburtshäuser, Kitas, Privatschulen, so viel man will ... Sibylle hat wohl recht – ich habe keine Ahnung, was dort wirklich läuft.

In vielen verschiedenen Städten tauchen diese Zonen der Macchiatomütter und Edel-Eltern auf, ich erkenne den Entwurf, die ganze Haltung, wenn ich auf Reisen bin. Der Prenzlauer Berg wird nur deshalb als Klischee gehandelt, weil er einfach zuerst da war, so perfekt in dieser neuen *Us-first*-Haltung. Dieses Milieu will ich mir mal genauer anschauen. Was spielt sich ab in den Parkettwohnungen? Wie wird heute geheiratet, geboren, gelebt in meinem ehemaligen Viertel? Wer hat das Sagen in den Privatschulen? Wer kann sich all die dicken Autos, die Biomarktpreise, Designerkinderschuhe und die Townhouses eigentlich leisten? Und ist auf dem Spielplatz zu hocken nicht immer noch genauso langweilig für die Eltern wie einst?

Ich schalte eine Kleinanzeige. »ACKERN, AUSGEHEN, SCHLAFEN. Journalistin aus dem Berliner Umland sucht für April, Mai und Juni ein Zimmer im Prenzlauer Berg. Gibt es das?«

Das gibt es. Nur wenige Tage später schaue ich mir einen

Raum an: hell und freundlich, preiswert und mit eigenem kleinen Bad, vermietet wird er von einer schwäbischen Familie mit spätem Einzelkind. Wir mögen uns von Anfang an, ich muss versprechen, nichts aus dem Zusammenleben mit meinen Mitbewohnern aufzuschreiben – das ist ihre einzige Bedingung. Zwei Wochen später, zehn Jahre nach meiner grimmigen Ausreise, reise ich wieder ein in den Prenzlauer Berg. An einem Aprilsonntag ziehe ich ins Wegwarte-Zimmer. Ich stelle meine Leselampe ans Futonbett, rücke den Schreibtisch an die Wand, räume Kleider und Schuhe in den Schrank. Und dann beginnen sie – meine drei Monate Feldforschung im Macchiatobezirk.

Flüstern und Schreien oder Der Lärm in der Großstadt

Ich hab's nicht so mit Lärm. Um genau zu sein: Ich hasse ihn. Kein Wunder, in den letzten Jahren im Speckgürtel habe ich erfahren dürfen, was die schöne Formulierung »himmlische Ruhe« meint. Nämlich ungestörten Nachtschlaf, aus dem man in der Morgendämmerung von Vogelgezwitscher ganz langsam herausgebeamt wird, nur kurz durchbrochen vom Motorengeräusch des Zeitungsautos und dem metallischen Klappern des Briefkastens. Danach Abfahrt, Stille, Weiterzwitschern und -schlafen. So sieht Ruhe aus und so hört sie sich an!

Bis wir in das Haus am Ende der Sackgasse gezogen waren, wusste ich nicht einmal, dass es das tatsächlich geben kann: ein Leben ohne Lärm. Wie labil ich diesbezüglich nervlich bin, erfahre ich gerade schmerzhaft aufs Neue. Mein Zimmer in der Prenzlauer Berger Wegwarte ist ein sonniger Ort in einer Rechts-vor-links-Straße. Es gibt Doppelfenster und dicke Türen, die mich vor den Alltagsgeräuschen meiner Mitbewohner schützen. Aber. Es gibt auch eine dünne Wand in meinem Zimmer, hinter der offenbar ein kleines Mädchen wohnt und dessen vornehmste Freizeitbeschäftigung es ist, mit Holzklötzen, Blechautos, allerlei anderem Gerät sowie seinen eigenen kleinen Füßen den guten Dielenboden zu malträtieren.

So jedenfalls stelle ich mir das vor auf meiner Seite der Wand. Und so hört es sich an, wenn ich, der guten Ruhe bedürfend, an meinem Schreibtisch sitze und versuche, dieses Buch zu schreiben. Hack, klack, bumm, schrei, kruschtelkruschtel. Kurze Stille. Dann wieder: Hack, klack, bumm … Ich reiße mich zusammen.

Was soll denn das, rufe ich mich selbst zur Ordnung, du kannst doch nicht in die Innenstadt ziehen und erwarten, dass hier Ruhe herrscht!

Aber, wispere ich, könnte man dem Kind, das sicher süß und sympathisch ist, nicht wenigstens einen Teppich ins Spielzimmer legen?

Neeein, blöke ich zurück, genau dafür haben doch die Eltern die schönen Dielen- und Parkettwohnungen gemietet und gekauft – damit ihre Kinder sich entfalten können. Bist du etwa kinderfeindlich, hä?

Na das, denke ich, ist ja nun die größte Beleidigung für eine praxiserfahrene Mutter. Ich gehe in mich und erinnere mich, wie wir selbst damals hier gewohnt haben. Die Straße, an der wir unsere Zimmerflucht gemietet hatten, war breit, schmutzig und grauenvoll verlärmt. Am Haus vorbei dröhnte alles, was so eine Großstadt an Emissionsträgern zu bieten hat: eine vierspurige Fahrbahn samt Autos und dazugehörigen Straßenbahnen, obendrüber rammelte die Berliner U-Bahn übers Gründerzeitviadukt. Tagsüber streunten kalbsgroße Hunde umher und schnappten nach den Kindern, abends marodierten amüsierwillige Trinker und Touristenhorden die Allee hinauf und hinab. Sahen wir im Sommer bei geöffneten Fenstern fern, ging das nur unter Inkaufnahme von akustischen Unterbrechungen. Wir versuchten dann, uns im Geschepper der U-Bahn auszumalen, was die Schauspieler gerade einander zu sagen versuchten und wer beim »Tatort« der Mörder war.

Aber auch *im* Haus war es alles andere als leise. Unsere Wohnung verfügte über einen fünfzehn Meter langen Flur, durch den die Kinder mit altersentsprechendem Spielzeug jagten. Als sie klein waren, handelte es sich noch um Rasselautos für Krabbelkinder, nachdem sie laufen gelernt hatten, schenkte ihnen die Oma ein Bobbycar, also eines dieser riesigen roten Plastikautos, auf dem man den Flur hinunterfahren und dabei kräftig hupen konnte. Niemals wäre es uns eingefallen, die Fünfzehn-Meter-Rennstrecke mit störendem Teppich oder Läufer auszustatten. Hallo!? Das hier war Prenzlauer Berg, da sollten sich die Kinder mal richtig austoben können. Die Straßen waren damals schließlich noch nicht verkehrsberuhigt und die wenigen Spielplätze voller Hundekacke – die fielen also als Orte zum Ausagieren komplett aus.

Was unsere Mitbewohner im Haus lange klaglos ertragen haben mussten, wurde uns erst klar, als über uns ebenfalls eine Familie mit Kind einzog. Nur einem Kind, wohlgemerkt. Aber das, ein süßer Knabe namens Kaspar, war der geliebte und einzige Enkel einer Großfamilie, die den Jungen mit sämtlichem Lärmequipment beschenkte, das der Einzelhandel zu bieten hatte. Kaspar bekam nicht nur das obligatorische Bobbycar, nein, dazu gehörten auch ein zweiachsiger Anhänger sowie eine chinesische Fahrradklingel. Als Kaspar drei wurde, legte die ganze Familie zusammen und schenkte ihm ein Trampolin. Da sein Zimmer direkt über unserem Schlafzimmer lag und Kaspar insgesamt eher Spätzubettgeher und Frühaufsteher war, wurden wir halbe Nächte hindurch und sehr frühe Morgen lang Ohrenzeugen seiner unstillbaren kindlichen Lebensfreude. Ich will nicht verhehlen, dass auch dieses an sich sehr sympathische Kind ein Glied in unserer langen Argumentationskette darstellte, warum wir die Innenstadt verlassen wollten. Aber das haben wir natürlich niemandem gesagt. Wir waren schließlich nicht kinderfeindlich!

Das waren nämlich ganz andere. Man kann es sich heute kaum noch vorstellen, aber damals gab es tatsächlich noch Menschen im Prenzlauer Berg, die sich Ruhe vor schreienden, lärmenden Kindern ausbaten. Wenn sich die Kleintochter mal wieder brüllend in der Kaufhalle querlegte und versuchte, auf diese Weise ihrem Wunsch nach »Bummibärchen« Ausdruck zu verleihen, beeindruckte mich das wenig. Ich stand auf dem pädagogischen Standpunkt, das Kind müsse sich jetzt mal ausschreien, irgendwann sei es leer gebrüllt und wir könnten den Wochenendeinkauf fortsetzen. Ein älterer Mann teilte diese Ansicht leider nicht. Er blieb mit seinem Einkaufswagen vor der sich am Boden windenden Kleintochter stehen, besah sich eine halbe Minute das kreischende Bündel und gab mir schließlich den Rat, dem da unten »mal richtig eine zu drömmeln, das kapieren die dann schon«.

Okay, das waren die Neunziger. Eltern wie wir fingen gerade damit an, eine Art Nachwendepädagogik und ein anderes Leben auszuprobieren. Die ersten privaten Kitas waren erst wenige Jahre alt und krankten noch an allem, was derlei mit sich bringt: unzuverlässiger Putzdienst, nicht gezahlte Beiträge, mittags immer nur Vollkornnudeln. Unsere Kinder, von denen es im Osten nach dem Mauerfall nur noch irritierend wenige Exemplare gab, mussten nun nicht mehr zügig durchschlafen, sie wurden gestillt, solange sie das brauchten, und sie konnten so lange ihre Windeln vollmachen, wie sie wollten. Wir hatten Zeit und einen neuen Plan von Erziehung. Und dann das! Ein alter Mann, der sich nicht nur Ruhe ausbat, sondern auch gleich eine Steinzeitidee hatte, wie die herzustellen sei: eine drömmeln, ha!

Heute ist das natürlich anders. Die Verhältnisse haben sich komplett zugunsten der Kinder und ihrer Eltern verschoben. Ihre schiere Masse verursacht selbst bei Leuten wie mir, die sich nicht durch Kinderbegleitung ausweisen können, fast so etwas wie Minderwertigkeitsgefühle. Wer hier im Bezirk unter fünfzig ist und nicht einen Unter-eins-dreißig-Menschen mit sich führt, muss lesbisch, schwul oder gynäkologisch beeinträchtigt sein. In riesigen Pulks trecken die Buggy-Armadas die Straßen entlang, auf den Gehwegen schlingern späte Mütter verkehrswidrig und lebensbedrohlich mit Kindern auf Fahrradstange und Rücksitz herum. Sie machen dabei so viel Lärm, wie sie wollen, und wenn ein Kind gesenkten Blicks in einen Passanten rennt, erntet der vorwurfsvolle Blicke, weil er dem kostbaren Nachwuchs nicht regelgerecht ausgewichen ist. Allein die Vorstellung, ein wütender Rentner würde den Erziehungsberechtigten körperliche Züchtigung empfehlen! Der Mann würde mit Name, Foto und Postanschrift noch am selben Tag auf Facebook gepostet und könnte schon mal den Umzugswagen bestellen.

Dies wissend, bin ich eine duldsame, nette Nachbarin im Wegwarte-Zimmer. Ich höre die kleine unbekannte Nachbarin kraftvoll ihre Bauklötzer und Puppen in den Boden rammen, leide stumm, wenn ihr nebenan etwas nicht gelingt und sie in spitze Schreie ausbricht. Ich kenne inzwischen akustisch auch ihre Eltern, die sagen: »Macht nichts, probier's halt noch mal mit dem Lego!« Und ich höre auch, wenn sie nachts beruhigend auf sie einreden, weil das Kind, aus schweren Träumen erwachend, ins Bett gemacht hat, wie es greint und ruft. Ich höre Tritte und Schritte, Flüstern und Schreien, Türen und Klötzchen. Und? Es ist okay. Das hier ist Großstadt.

Babyccino im Café Kiezkind oder

Der Milchschaumtraum vom Helmholtzplatz

Die Geschichte geht so: Mutter und Kind laufen durch den Prenzlauer Berg. Es ist Winter, um die null Grad, der Kollwitzplatz liegt verlassen in der Dämmerung, nur wenige Autos kreuzen die Tempo-30-Zone. Die Mutter hält das Kind bei der Hand, sie werden bald zu Hause ankommen. Da, plötzlich, fängt es an zu schneien. Erst sind es nur ein paar zögerliche Flöckchen, die weiß zur Erde trudeln, aber schnell werden es mehr und mehr. Die Mutter zieht ihre Kapuze hoch, sie will jetzt schnell heim. Doch das Kind bleibt stehen. Es legt den Kopf in den Nacken, schaut den dicken tanzenden Flocken zu und sagt beglückt: »Guck mal, Mama. Es regnet Milchschaum!«

Ja, so geht die Geschichte. Sie ist natürlich ein moderner Mythos, eine ironische Verarschung der viel zitierten und gescholtenen Latte-macchiato-Mütter und ihrer Kinder. Und doch steht sie, wie alle guten Witze, für etwas. Denn es gibt sie wirklich, diese Mütter. (Und übrigens auch Väter.) In ihrem natürlichen Umfeld beobachten kann man sie im angesagtesten Eltern-Kind-Café des ganzen Prenzlauer Bergs. Das heißt Kiezkind und liegt auf dem Helmholtzplatz, einem großen Viereck, das von kundigen Stadtplanern begrünt und bebankt wurde. Hier trifft sich tout Prenzlauer Berg. Alles, was über Kinder verfügt, steuert gern das Karree an, und wer keinen Nachwuchs bei sich führt, muss sich verlaufen haben oder Tourist sein.

Aus dem alten Trafohaus, von dem aus einst die Anwohner mit Strom versorgt wurden, wurde vor Jahren das Café Kiezkind. Schon von Weitem sieht man, wer hier Stammgast ist: Vor dem Eingang stehen die schwarzen Bugaboo- und Peg-Perego-Kinderwagen in Reih und Glied; schnittige Laufernräder im angesagten Tattoo-Design der Saison wurden vor der Tür von ihren kindlichen Besitzern achtlos in den Staub geworfen. Die Edelstahlspeichen der 150-Euro-Bikes kontrastieren sehr schön mit den handbestickten Ledersätteln.

Drinnen ist die Luft zum Schneiden. Eine olfaktorische Mischung aus vollen Windeln, Biowienern und Chai latte schlägt dem Gast entgegen. Dies hier ist ganz klar der Kantinenduft der Ökoelterngeneration. Rechts neben dem Eingang findet sich ein Buddelkasten, dessen Sand von kleinen Baumeistern bereits großflächig durch den gesamten Raum verteilt wurde und von anderen Ein-Meter-Buddlern gerade mit Schippen weiter über den Rand verklappt wird. Gott sei Dank ist der Sandkasten beheizt, das garantiert auch die gleichmäßige Erwärmung der Windelinhalte und sorgt für noch mehr Aroma auf achtzig Quadratmetern.

Neben dem Buddelkasten stehen die Erziehungsberechtigten, sie tragen Outdoorjacken oder Boutiquenmäntel, ratschen miteinander in allen Sprachen und Idiomen Deutschlands und der Welt und nippen an ihrem Bio-Smoothie, während der kleine Malte der süßen Luise gerade die Plastikschippe über den Schädel zieht. Flatsch!

Ein großes, ein großartiges Gebrüll setzt nun ein. Ein Tosen und Kreischen, nur sehr mühsam zu unterbrechen durch die zuständigen Mütter, die nun doch mal ihre Smoothies beiseitestellen und sich dem Konfliktherd zu ihren Füßen nähern. »Come on, give it to her«, bittet die Malte-Mutter ihren Sohn und versucht ihm die Schippe zu entwinden. Der Sound steigert sich noch um ein paar Dezibel. Selbst wenn Malte die Schippe loslassen würde, würde das Luise nicht von ihrem Schreitremor erlösen. Es ist ein sensationeller Wut- und Erschöpfungsschrei, wie ihn nur Kleinkinder auszustoßen in der Lage sind, die einen langen Kitatag hinter sich haben und im Grunde nur darauf gewartet haben, dass ihnen irgendeine Ungerechtigkeit widerfährt. Maltes und Luises Mütter können im Grunde jetzt nur noch eins tun: sich ihre Kinder unter die Arme klemmen und das Etablissement verlassen. Und genau das tun sie auch.

Zurück bleiben zwei halbleere Smoothie-Fläschchen und der Baby latte von Luise. Das schöne Heißgetränk, eine jener irren Erfindungen des urbanen Familiengastrobereichs, wird nun leider kalt. Baby latte – manchmal heißt er auch Babyccino – ist nicht nur warme geschäumte Milch, die hier für 50 Cent zu haben ist und möglicherweise tatsächlich Kinder glauben macht, Milchschaum könne an kühlen Winterabenden vom Himmel herabschneien. Nein, Baby latte ist mehr. Nämlich der Ausdruck dafür, dass sich hier in dieser Gegend die Bedürfnisse von Eltern und Kindern auf unheimliche Weise sogar kulinarisch annähern.

Weil die Erwachsenen tagein, tagaus Kaffee mit Milchschaum trinken, war es irgendwann unausweichlich, dass auch die kleinen Urbaniten, die bestversorgten Ein-Meter-Trolle, ihr eigenes Trendgetränk bekommen. Zugleich wird durch den Babyccino auf eindrucksvolle Weise zum Ausdruck gebracht, dass die kleine Luise nicht nur das Kind einer Macchiatomutter ist. Nein, sie ist so eine Art beste, zugegeben etwas klein geratene Freundin, mit der man das gute Leben teilen möchte. Selbstredend ist hier im Café Kiezkind für den vollendeten Fake gesorgt: Gegen 30 Cent Aufpreis kann der Baby latte auch mit Caro-Kaffee bestellt werden, damit Luises Glas dem von Mama zum Verwechseln ähnlich sieht – nur eben kleiner und natürlich ohne schädliches Koffein.

Der Tag ist nicht mehr fern, an dem in einem Elternbezirk irgendwo in Deutschland das erste Lokal eröffnet, dessen Spezialitäten Gerichte wie Zwieback-Bananen-Brei, passierte Pastinake und angewärmtes Mangomark sind. Die köstlichen Pampen werden dann auf farbenfrohen Plastiktellern aus Recyclingmaterial serviert, dazu gibt's Demeter-Karottensaft oder Fenchel-Apfel-Tee oder gleich eine Kanne Stilltee. Alle Gäste müssen auf Triptrap-Stühlen sitzen, und wenn sie aufgegessen und ihren Baby latte ausgetrunken haben, dürfen sie die handgewebten Lätzchen abnehmen, und dann aber ab in die Spielecke, wo sie mit Holzklötzchen aus geöltem Olivenholz ihr gerade anfinanziertes Townhouse nachbauen. Es wird eine gleiche und gerechte Eltern-Kind-Partnerschaft geben, in der alle das Gleiche essen und trinken und so am Ende sogar das Gleiche scheißen.

Im Café Kiezkind ist es heute aber noch nicht ganz so weit. Noch sitzen die Eltern auf den Hockern und Bänken, während ihr Nachwuchs mit kurzen Armen versucht, auf eines der umherstehenden räudigen und halb kaputten Schaukelpferde zu klettern. Noch finden sie sich hier zusammen und blättern in der aktuellen *Neon* oder in *Nido*, der Zeitschrift für hedonistische Eltern, reden über die Avocados, die im LPG-Markt diese Woche im Angebot sind, und den süßen Zivi, der gerade in der Kita angefangen hat. Ab und zu verschwindet eine Mutter oder ein Vater im Windelraum, um den Dienst am Hintern zu versehen. Und draußen vor der Tür, direkt hinter dem kleinen Zäunchen – aber so, dass ihre Kinder sie nicht sehen können –, stehen ein paar Väter und rauchen gesundheitsschädlichen Biotabak. Drinnen schäumt die Maschine unentwegt weitere Baby latte auf, Bionade-Flaschen werden entkorkt, Ovomaltine, Mangolassi und Kirschmolke fließen in die Gläser. Hier wird nur Gesundes konsumiert, aus den Kindern soll ja mal was werden, und die Gefahren von außen sind groß.

Eine dieser Gefahren zum Beispiel steht gut sichtbar nur wenige Meter vom Café entfernt. Es sind die örtlichen Alkoholiker, die in der Mitte des Platzes seit Jahrzehnten ihren Treffpunkt haben. Wahrlich kein beruhigender Anblick: Männer mit roten, schiefen Gesichtern, gekleidet in karierte Fleecejacken, in den Händen halten sie Hundeleinen und Bierflaschen. Wenn Hasso nicht macht, was er soll, wird aus zahnlosen Mündern »Platz!« gebrüllt. Dann legt sich der Köter wieder nieder und schaut zu, wie neben seiner Schnauze die Kronkorken übers Pflaster klingeln und Kippen ausgetreten werden.

Solche Männer gab es hier schon immer. Trinker. War schließlich mal ein Arbeiterbezirk, wo in den Eckkneipen schon mittags die Kohlenfahrer saßen und ihr 51-Pfennig-Bier gezischt haben. Aber jetzt stören sie. Jetzt stören sie die neue Ordnung auf dem Helmholtzplatz und ganz besonders die der Anwohner mit den teuren Kinderwagen. Schon gab es Anträge an die Bezirksverordnetenversammlung, das Trinken auf dem Helmholtzplatz zu verbieten. Einige besonders engagierte Eltern baten zusätzlich darum, das Ordnungsamt möge auch die Raucher zur Kasse bitten. Also natürlich nur die bösen Raucher. Wenn die Edel-Eltern hier mal ein mexikanisches Corona köpfen und dazu eine ganz korrekte American Spirit rauchen, ist das natürlich was anderes. Nämlich Genuss und Ankurbeln der Volkswirtschaft. Gott sei Dank haben die Puritaner kein Gehör gefunden. Denn derlei Gedanken sind ja ausbaufähig. Gut möglich, dass am Helmholtzplatz demnächst Leute ohne Kinder Begrüßungsgeld zahlen müssen. Dann wär's hier echt wieder wie ganz früher.

Genetztes Brot und Biopesto oder Markttag mit Zeigepflicht

Als in einer Seitenstraße des Kollwitzplatzes Anfang der Neunzigerjahre der erste Bioladen eröffnete, feierten wir Eingeborenen das wie eine Ufo-Landung. Neugierig stiegen Sibylle und ich hinab in jene Souterrain-Butze. Dort, im Kellerdunkel, wurde das feilgeboten, wofür wir bis dahin immer noch die Sektorengrenze nach Westberlin hatten überwinden müssen: harte Vollkornbrote, winzige, wurmstichige Äpfel, Biomilch, deren Ablaufdatum bereits innerhalb der nächsten vierundzwanzig Stunden erreicht sein würde. Freundliche Menschen standen hinter der Registrierkasse, es wurde geduzt und gequatscht, die Babys in den Tragetüchern hießen noch Max und Lisa.

Freudig reichten wir unser Geld über den Ladentisch, stolperten anschließend die Stufen hinaus ans Tageslicht und beeilten uns, nach Hause zu kommen, um dort die biologisch erzeugten Schätze zu verzehren. Ein teures Vergnügen war das, das wir uns, wenn wir konnten, trotzdem leisteten. Denn in der kurzen Zeit nach dem Mauerfall hatten wir erlebt, wie zuerst alle Ostlebensmittel aus den Regalen verschwunden waren, wir daraufhin mit sehr bunt verpackten Waren in den Klub der neuen Konsumenten aufgenommen wurden, um schließlich recht schnell zu begreifen, dass gute Lebensmittel keineswegs immer von Nestlé und Kraft kommen mussten. Sondern dass es da etwas noch Besseres gab: Biolebensmittel. Wir beschlossen, diesem Klub je nach Kassenlage angehören zu wollen, und nahmen dafür auch in Kauf, dass damals das Vollkorn eher auf das Brot als in das Brot hineingebacken war.

Derlei würde sich heute natürlich keiner jener Kunden mehr bieten lassen, die den Kollwitzmarkt aufsuchen. Hier, auf der Cruising-Allee des Glücksbezirks, kennt man seine Rechte. Samstagmorgens geht es los im Karree. Dutzende Händler bieten alles an, was das Herz der Macchiatoeltern begehrt und ihnen das Gefühl vermittelt, wieder daheim in der westdeutschen Provinz zu sein: genetztes Brot – was immer das sein mag –, Ziegenkäse in mannigfachen Sorten, zwanzig verschiedene Pestomischungen, Marmeladen, Blumen, Eier, Falafel, Keramik, Taschen ... und ganz hinten in der Ecke gibt's gar für die alten Prenzlauer Berger einen Grillstand mit Flaschenbier und Gulaschkanone. Sibylle, mit der ich heute Vormittag hier unterwegs bin, braucht Energie. Sie hat eine kurze Nacht hinter sich und kauft sich Biofalafel, »würzig und fettig – alles, was eine verkaterte Frau braucht«, sagt sie. Ich ordere für uns beide frisch gepressten Orangensaft, gut für Nüchterne und Ausnüchternde. Wir stehen im Gewühl und schauen uns um.

Jene, die heute ihre Bugaboos hier durchschieben, den Macchiato im vormontierten Becherhalter, sind sichtlich aus einem anderen Holz geschnitzt als wir damals in unserem Souterrainlädchen. Erstens sind die meisten deutlich älter, zweitens lächeln sie kaum, und drittens haben sie Kinder dabei, die nicht mehr nach der Biomöhre verlangen, sondern schon eher nach Austern aus bretonischer Ökozucht. In dieser Hinsicht hat sich eine Menge verändert. Eine Familie zu bekochen bedeutet mittlerweile weitaus mehr, als Mutterns

Nudelauflauf aus der Röhre zu ziehen. Inzwischen wird in den designten Stahl-und-Glas-Küchen gern das Biogemüse mit der Vollkornnudel im Dampfgarer erhitzt, südamerikanisches Qinoa geht eine schmackhafte Allianz mit der französischen Artischocke ein. Essen ist Nähren und Qualität oberstes Gebot. Nicht umsonst gibt es im ganzen Prenzlauer Berg nur einen einzigen Aldi – und der liegt wo? Direkt an der Grenze zum Wedding, also fast unsichtbar am ehemaligen Mauerstreifen.

Der Kollwitzmarkt erfüllt zwar tatsächlich den Zweck der Lebensmittelbeschaffung, zugleich aber ist er auch eine innerstädtisch gelegene Repräsentationsfläche. Ach guck mal da, Katja hat ein Kind bekommen! Wer ist denn der komische Typ da an Nikkis Seite ...? Kleinstadt in der Großstadt, Fokus sozialer und wirtschaftlicher Beziehungen. Und zwischendurch immer wieder ein paar Medien- und Filmpromis, die unbehelligt, aber natürlich gut beobachtet, ihre Tomaten einkaufen.

Dass sich hier noch immer jeden Samstag fünftausend Leute durchdrängeln, dass die Kinderwagenpulks im Gewühl stecken bleiben und die angereisten Schwiegereltern aus Reutlingen oder Kiel ihren Enkeln eine Bionade ausgeben können, grenzt an ein Wunder und verdankt sich vermutlich der Prominenz dieses Platzes. Denn wo sich im Prenzlauer Berg was bewegt, wo es mal rumpelt und ruft, wo angeliefert und entsorgt wird, da sind die Kläger nicht weit.

In Fall Kollwitzmarkt handelt es sich um einige Anwohner des Platzes. Seit Jahren streiten sie sich mit der Bezirksverwaltung darüber, ob sie sich das überhaupt bieten lassen müssen: den Lärm, den die Händler und deren Kunden machen, das Gewühle und Gedränge, die Stimmen und die gute Stimmung – die ganzen Störer eben. Unerträglich auch die schönen wegfallenden Parkplätze direkt vorm Haus und das ewige Milchschaumgezische. Muss man sich denn hier alles gefallen lassen? Sie zahlen schließlich für ihre exklusive Wohnlage!

Na gut, so haben sie ihre Beschwerde natürlich nicht formuliert. Sie sind gute brave Bürger und bemängeln deshalb ganz deutsch, dass durch die engen Marktgassen im Notfall kein Feuerwehrauto passen würde und dass irgendwelche Poller falsch aufgestellt wurden. Es geht also um Sicherheit, nur darum. Und um dem auf rechtsstaatlich einwandfreie Weise Ausdruck zu verleihen, haben sie eine Bürgerinitiative gegründet und diese »Besser leben im Kiez« genannt. Der Name lässt viel Spielraum für die Frage, wer genau hier besser leben möchte.

Das Klagen ist zur Mode geworden, ja geradezu eine Trendbeschäftigung jener in der Gegend, die einen Anwalt kennen oder, noch besser, selbst einer sind. Es wird nicht mehr das Gespräch gesucht, sondern gleich einmal feste durchgegriffen. Das nimmt nicht wunder, schaut man sich die schönen Erfolge der anderen juristischen Haudraufs an. So haben zum Beispiel drei (3!) Anwohner jener Hauptstraße, in der ich selbst einst mit meiner Familie gewohnt habe, durchgesetzt, dass die Fahrgäste der U-Bahn einen ganzen schönen Sommer lang laufen oder radeln statt Bahnfahren durften. Den drei Anrainern hatte nicht gefallen, dass die Handwerker auch nachts am sanierungsbedürftigen Hochgleis der U-Bahn herumflickten. Nun war Ruhe zwischen zehn und sechs, aber die Bauverzögerung betrug satte sechs Wochen. Gut, dass es nur noch so wenige Omas im Bezirk gibt, die die U-Bahn dringend gebraucht hätten.

Hinter der Geschichte steckt ein Prinzip, welches lautet: *Me first*. Ich bin von der Klein- in die Großstadt gekommen?

Dann hätte ich es trotzdem gern so, wie ich es von zu Hause gewöhnt bin. Ich wohne an einer der meistbefahrenen Straßen der Metropole? Dann bitte ich aber um meine gesundheitsfördernde Nachtruhe. Ich hab bis vor ein paar Jahren hier selbst Party gemacht? Sorry, jetzt hab ich Kinder und einen superwichtigen Job, da verstehe ich echt überhaupt keinen Spaß.

Ja, Lärm ist etwas Scheußliches, Enervierendes, weiß Gott. Diese Ansicht teilten denn auch die Bauherren eines Mehrfamilienhauses, gelegen an einer etwas östlicher gelegenen Magistrale. Völlig überrascht stellten sie fest, dass genau dort, wo sie ihre schönen, teuren Eigentumswohnungen errichten ließen, seit Jahrzehnten ein Klub und die damit einhergehenden Besucher ihr Unwesen trieben. Die Störer gingen doch tatsächlich nach zweiundzwanzig Uhr aus, um Party zu machen oder Schlimmeres, auf jeden Fall Lärm. Bumm! Klage. Und was soll man sagen? Die Gestörten bekamen tatsächlich recht, und der Klub musste nach achtundfünfzig Jahren schließen.

Derlei Ereignisse sind es, die im Prenzlauer Berg für Unfrieden sorgen, für Unsicherheit darüber, wer hier eigentlich noch erwünscht ist und wer – das vor allem – nicht. Gehen Privatinteressen vor Allgemeininteressen? Stellen Eltern durch die bloße Existenz ihrer Kinder eine Art soziales Biotop dar, das man am besten als Weltkulturerbe anerkennen sollte? Und wie sieht es dann mit den Alten aus, mit Hunden gar? Gefährden die bald das ästhetische Gesamtempfinden ausgewählter Bewohner und müssen ins Tier- oder Altenheim? Werden Raucher bald von Schutzmännern abgeführt, weil sie die Volksgesundheit schädigen?

Es ist ein Kreuz mit der persönlichen Freiheit. Erst recht dann, wenn so viele kleine persönliche Freiheiten auf den angesagtesten elf Quadratkilometern der Republik ausagiert sein wollen. So etwas hatten wir uns damals nicht vorgestellt, als der kleine dunkle Bioladen aufmachte und uns eine Möglichkeit eröffnete, am guten und richtigen Leben teilzuhaben. Nun dürfen wir, Sibylle und ich. Wir kauen brav das Falafel, trinken unseren Orangensaft und schauen den neuen Machthabern bei der Vorratsbeschaffung zu. Dann schlendern wir rüber zur Gulaschkanone.

Wie in einer Katzenecke steht dort ein Kollege von mir mit seinem Freund, die beiden trinken Berliner Pilsner und rauchen eine Mittagszigarette. »Mutig, mutig!«, sage ich anerkennend. Und da meldet sich auch schon vom Nachbarstehtisch eine Mutti, deren ostentatives Gewedel die beiden bislang tapfer ignoriert hatten. »Würden Sie bitte die Zigaretten löschen«, fragt sie, »ich möchte nicht, dass meine Tochter den Rauch abbekommt.« Die beiden sagen nichts. Sie gucken, nehmen noch einen tiefen Zug, dann treten sie die Kippen aus, schnappen ihre Pilsflaschen und ziehen von dannen. Nächsten Samstag treffen sie sich woanders.

Abenteuer Baugruppe oder Die mitgebrachte Kleinstadt

Nadja hat es getan. Sie hat einen Haufen Geld auf den Tisch gelegt, einen Kredit aufgenommen und einen dicken Vertrag unterschrieben. Nadja zieht demnächst in den Prenzlauer Berg. Mit ihrem Mann und den beiden kleinen Söhnen ist sie Mitglied in einer Baugruppe geworden. Private Baugruppen sind gerade das *Must have* für all jene, die einfach zu spät hergekommen sind, um noch eine bezahlbare Wohnung zu finden. Baugruppe – das klingt nach Genossenschaft, nach gemeinsamem Steineschleppen, Grillabenden und Schwätzchen im Gemeinschaftsgarten. Aber so ist es eher nicht. Der schöne Begriff umschreibt letztlich doch nur das gemeinsame Schaffen von Wohneigentum: zahlen und einziehen. Aber das traut man sich hier, wo nächtens schon mal die Familiengeländewagen brennen, nicht mehr zu sagen.

Ich treffe mich mit Nadja. Wir sitzen in der Sonne, trinken Chai latte und reden darüber, was eigentlich so schlimm sein soll an Leuten wie ihr. Was Leute wie ich Menschen mit Kindern, die hierher in den Prenzlauer Berg oder in andere familienoptimierte Wohnlagen ziehen, genau vorzuwerfen haben. »Was mache ich denn bitte schön falsch, wenn ich für mich und meine Kinder ein gutes Leben haben will, und zwar zusammen mit Leuten, die mir erst mal sympathisch sind?«, sagt Nadja. Gute Frage. Während wir reden, ziehen wie auf Knopfdruck Wagen um Wagen Macchiatomütter vorbei. Gut sehen die meisten aus, schöne Frauen mit schönen Kindern an einem schönen sonnigen Tag. »Ihr seid einfach zu viele«, sage ich zu Nadja, »entschieden zu viele. Die Idee, Kindern als Mitmenschen eine wichtige Rolle einzuräumen, ist immer noch gut, ja. Aber inzwischen ist das gekippt, jetzt gibt es hier keine Erwachsenen mehr, sondern fast nur noch Erwachsene mit Kindern. Und wer nicht in eurem Klub ist, wer vielleicht auch nicht andauernd Rücksicht auf eure Bedürfnisse nehmen will, dem schlagen Ablehnung und Besserwisserei entgegen.«

Nadja ist ratlos. Nicht dass sie sich nicht auch andere Wohngegenden in Berlin angeschaut hätte. Steglitz – zu weit weg und zu bürgerlich; Mitte – zu teuer und zu touristisch; Friedrichshain – schlicht zu schmutzig. Am Ende lief es doch auf den Prenzlauer Berg hinaus, auf gute Bedingungen für gebildete Menschen mit ihren vielversprechenden Kindern. Nadja erzählt von der Baugruppe, von ihren »Mitstreitern«, wie es so schön auf deren Website heißt. Grad neulich hätten sie zusammen Karneval gefeiert. Das sei ein wunderbarer Abend gewesen. Die meisten in der Baugruppe kommen aus dem Rheinland, das hat sich bei den Treffen herausgestellt, und was liegt näher, als die heimischen Bräuche zu pflegen? Sie haben gefeiert und es nach Rheinländer Art krachen lassen, herrlich!

»Gibt's auch Konflikte?«, frage ich. Die gibt es sehr wohl, konnten bisher aber alle gut gelöst werden, meint Nadja. Da hatte sich zum Beispiel ein leitender Mitarbeiter eines nicht korrekten Energieanbieters beworben. Schnell wurde er gegoogelt, und es stellte sich heraus, dass der brave Mann einer sehr alten, sehr konservativen schlagenden Verbindung angehört. Der wurde abgelehnt. Also nichts gegen Bürgerlichkeit – aber das hier ist schließlich Berlin, seine Gelage und sein Geschlage kann der Mann anderswo, aber nicht in der schönen lustigen Baugruppe abhalten. Zweiter Konfliktpunkt: Tiere. Hunde sind ganz schlimm dort, wo es Kinder gibt. Nadja selbst hat eine ordentliche Hundephobie, da gibt's nix. Und sie hat sich in den Teilungsvertrag zusätzlich reinschreiben lassen, dass in der Wohnanlage keine Schlangen gehalten werden dürfen. Eine andere Miteigentümerin bittet darum, auf Spinnen zu verzichten. Sind so viele Ängste!

Den sich bewerbenden Hundehaltern haben sie natürlich nicht direkt gesagt, dass sie nicht erwünscht sind, das wurde anders geregelt. Die »Mitstreiter« haben über den betreuenden Anwalt ausrichten lassen, dass vierbeinige Freunde auf den Gemeinschaftsflächen unerwünscht sind. »Gemeinschaftsflächen?«, frage ich. Es stellt sich heraus, dass es sich dabei um alle Wege und Treppenhäuser, den Garten, den hauseigenen Spielplatz und die für alle zugängliche Dachterrasse handelt. Also im Grunde müssten die Hundehalter ihr Tier an der Gartenpforte anleinen, ihm einen Maulkorb verpassen und es dann gesenkten Blickes in die geschlossenen Räumlichkeiten abführen. Wie erwartet, nahmen die Kaufinteressenten Abstand. Das war wirklich besser so. Wo Kinder leben – und in Nadjas Baugruppe werden bald viele, viele Kinder leben –, müssen sich die anderen halt nach der Mehrheit richten. Das ganze Projekt ist schon teuer genug, da muss dann auch wirklich alles stimmen: die Machtverhältnisse, die Hausordnung, die Rollrasensorte.

Es ist keineswegs so, dass die Baugruppe nur Freunde hat. Vor dem Grundstück hat das Architekturbüro eine Plakatwand aufstellen lassen, um den Nachbarn kundzutun, dass hier bald alles noch schöner, noch familiärer wird: »Hier baut die Baugruppe 15 neue Eigentumswohnungen«, steht darauf. »Und für wen?«, hat ein Anwohner mit Edding dazugeschrieben. »Den Bezirk den Menschen, nicht den Finanzhaien! Gegen westdeutsche Siedlungspolitik.« So etwas ließen sich die Investoren in der Familiengründungsphase natürlich nicht zweimal sagen, sie schrieben ihre Antwort so daneben, dass es auch der letzte Kapitalismuskritiker versteht: »Blödsinn. Dies ist ein Baugruppenprojekt. Dies bedeutet, fünfzehn Familien (=Bauherren) beschließen, selbst ein Haus zu bauen. Nix westdeutsch. Nix Finanzhai.« Dass die kleinste Wohnung mit 115 Quadratmetern nicht gerade das ist, was man unter sozialem Wohnungsbau versteht, haben sie nicht hingeschrieben. Auch nicht, dass der preiswerteste Quadratmeter ab 2200 Euro zu haben wäre. Aber hey, Baugruppe, das klingt doch nach Kollektiv, das sollten die Ostler doch kennen, oder?

Nadja wird es natürlich trotzdem gefallen. Bald werden auf dem angekauften Baugrundstück die Erdarbeiten abgeschlossen, der Kran mit dem Rammstein verschwunden sein. Wer den Bauplatz dann passiert, sieht nur noch eine dezent grau in grau gehaltene Glas- und Stahlfassade. Das, was sich dahinter verbirgt, die provinzielle, gemütliche Welt der »Mitstreiter«, ist durch ein kniffliges codiertes Türschloss unsichtbar gemacht. Und wenn sie Glück haben, fällt ihr Hausprojekt keinem schwarz gewandeten Gentrifizierungsgegner auf, und die schöne Fassade bleibt frei von Farbbeuteln und Graffiti.

Nadja kommt aus einer gemütlichen kleinen Stadt. In etwa so, wie sie das von zu Hause kennt, wird es in der Baugruppe wieder sein. Schmale, hohe Häuschen, in denen jene leben, die es gepackt haben. Man wird weiter zusammen

Karneval feiern, keine Hunde mögen, die Kinder werden sich anfreunden und auch mal streiten. Und in zehn, fünfzehn Jahren, wenn auch die ersten Baumängel auftreten, sind sie alle miteinander alt und haben erwachsene Kinder.

Da werden sie sich dann auf der Gemeinschaftsfläche neben dem verwaisten Spielplatz treffen und Gespräche wie jene führen, die auch ich aus meiner kleinen Kleinstadt kenne: »Na, wie geht's denn Lasse/Robert/Nick? Ach, der studiert jetzt in Köln! Und 'ne feste Freundin hat er auch? Toll, pass bloß auf, dass du nicht bald Oma wirst.« Diese Gespräche sind das sichere Zeichen dafür, dass die Familienphase beendet ist. Und sie sind alles andere als erfreulich. Am Ende einer gemeinsamen Zeit, wenn alles getan und erreicht ist und die Kinder durchs Abi geschifft wurden, zeigt sich, was uns als Weggefährten noch verbindet. Wenn's nur die Kinder sind, wenn sie der Lebenszweck und die einzige Freundschaft gewesen sind, sieht's schlecht aus. Aber noch – hier und jetzt – riecht für Nadja alles nach Aufbruch. Nach Gemeinsinn, Gleichheit und dem Abenteuer Kleinstadt in der Großstadt. Und ich kann's ihr nicht verübeln. Sie will exakt das, was sie gesagt hat: ein gutes Leben für sich und die Kinder, gemeinsam mit Leuten, die ihr erst mal sympathisch sind. Hoffentlich haut das hin.

Im Geburtshaus oder Blut, Schweiß und Freudentränen

Der Fencheltee dampft aus der Thermoskanne. Die Sofakissen sind dick, fluffig und dunkelrot. Ruhig liegt der Pezzi-Ball in seiner Ecke. Es ist alles immer noch so wie damals im Geburtshaus Prenzlauer Berg. Wunderbar.

Vor achtzehn Jahren hatte ich in diesen Räumen eine ziemlich bewegte Nacht. Um genau zu sein: Hier habe ich einen Zwölf-Stunden-Marathon absolviert, den man beschönigend Geburt nennt. Es war mächtig was los, ein großes Gestöhne, Getöse und Gewarte, schmerzhafte Wehen, unterbrochen von meinen immer wiederkehrenden Stoßseufzern. Wie lange das denn noch dauere mit dieser Geburt, fragte ich. Ob die Hebamme dieses Martyrium nicht mal eben für 'ne halbe Stunde homöopathisch unterbrechen könne, winselte ich. Und warum, verdammt, der künftige Vater denn bitteschön fast einschlafe, während ich direkt neben ihm den Streckenkilometer 37 absolviere. Unvergessliche, oberwichtige, megaemotionale Stunden, an deren Ende ein winziges zusammengekrümmtes Mädchen am Horizont des Lebens erschien. Wow!

Damals war die Option Geburtshaus eine viel diskutierte Sache. Meine Mutter, die künftige Oma also, schlug die Hände über dem Kopf zusammen bei dem Gedanken, dass ihre Tochter ein so gefährliches Abenteuer wie Kinderkriegen in einer finsteren Parterrewohnung im Prenzlauer Berg zu bestehen beabsichtigt. »Dafür gibt's doch Krankenhäuser«, barmte sie, »Hebammen sind doch keine Ärzte. Was ist, wenn was schiefgeht? Das würdest du dir nie verzeihen.« Nun, da hatte sie, Mutter von drei Kindern, wohl recht. Aber meine erste Geburt unter realsozialistischen Bedingungen in einer Ostberliner Klinikfabrik war derart traumatisierend verlaufen, dass ich unter den neuen, auch körperpolitisch befreiten Gegebenheiten fest entschlossen war, das Kind diesmal auf meine Weise zur Welt zu bringen.

Der Vater und ich absolvierten brav den Vorbereitungskurs, bei dem zwanzig Erwachsene auf Sisalmatten lagerten, Männer wie Frauen gemeinsam Atemtechniken erlernten und die schwangeren Väter angehalten wurden, »die Partnerin zu spüren«. Wir putzten unsere Wohnung, räumten eine Ecke fürs Körbchen frei und lasen der großen Schwester allerlei pädagogisch wertvolle Bücher vor, in denen sie schon mal darauf eingestimmt wurde, dass in ihrer Familie demnächst eine knallharte Geschwisterkonkurrentin eintreffen würde. Schließlich kauften wir einer Freundin ihren gebrauchten Teutonia-Kinderwagen ab, von dem wir geduldig die Sabberspuren des kleinen Vorbesitzers entfernten. Und als es dann tatsächlich losging, als die Nacht der Nächte anbrach, lief alles genau so ab, wie Mutter Natur das seit Millionen Jahren vorsieht. Nämlich schmerzhaft, zäh und – bis auf das Ergebnis – alles andere als beglückend.

Was bin ich froh, dass es damals noch keine Internetforen gab, in denen unbekannte Frauen einander die blutigsten und schleimigsten Details ihrer Niederkunft berichten. Da ist vom »MUMU« die Rede, was eine Abkürzung für Muttermund ist, »der drei Zentimeter offen und butterweich ist«. Von einem »Peng-Platsch, als die Fruchtblase platzt«, von der »alten Naht vom Dammschnitt, die aufreißt wie ein Reißverschluss«. Später kommen in diesen Intimbeichten dann Neugeborene vor, die »nach Fruchtwasser und Blut« riechen, sowie Nachgeburten, die vom Vater in die mitgebrachte Kühltasche verfrachtet werden, um sie zeitnah unter einem Bäumchen vergraben zu können. Und es tauchen natürlich und immer wieder gern Hebammen auf, die wahlweise »Hebi«, »Hexe«, »Retterin« oder »Stümperin« genannt werden.

»Kurz nach ein Uhr«, so der anschauliche Online-Geburtsbericht einer Geschlechtsgenossin, »Pausen zwischen den Wehen gibt es kaum noch. Schnell noch mal pieseln, reichlich Blut dabei. Ich weiß nun, dass es nicht mehr lange dauern kann. Wieder auf dem Bett geht der restliche Schleimpfropf ab. Plötzlich muss ich schieben. Drei Presswehen, der Kopf ist am Damm. Noch eine Wehe, die mir unendlich lange vorkommt: Der Kopf ist geboren. Endloses Warten auf die letzte erlösende Wehe: Toni ist endlich da. In intakter Fruchtblase wie schon ihre große Schwester.«

Mal ehrlich, wer will das wissen? Soviel ich weiß, vergisst das Internet nichts und niemals. Allein die Vorstellung, dass die hier beschriebene Toni dereinst im digitalen Nachlass ihrer Frau Mama stöbern könnte und sich dabei in äußerst privaten schleimpfropfigen Zusammenhängen dargestellt fände, ist doch eher beunruhigend. Und das Posting einer Online-Mama »Jo, so hätte ich's mir auch gewünscht: schnell und schmerzhaft« wird Toni später nicht gerade ermuntern, es auch mal mit dem Kinderkriegen zu probieren. Auch ich hätte mich als junge Frau möglicherweise gegen den Exzess einer Geburt entschieden, hätte ich gewusst, was online-affine künftige Eltern darüber heute alles lesen dürfen und müssen. Gott sei Dank hat Mutter Natur in jede Gebärende auch eine Deponie eingebaut, in die sie die Erinnerungen an ihre Entbindung verklappen kann; gäbe es die nicht, würde sich keine Frau bereitfinden, mehr als ein Kind zu gebären.

Sei's drum, hier im Geburtshaus geht es an diesem Abend keineswegs um Blut, Schweiß und Freudentränen. Sechs werdende Eltern sind zum Informationsabend gekommen: zwei Paare und zwei alleinreisende Frauen. Ich höre zu, wie die beiden Hebammen den neugierigen Besuchern ihren Job erklären. Wie sie vom »Raumgeben für das Baby« sprechen, von Kennenlernen und Zusammenarbeiten, Wärme geben und Zeit lassen.

Zeit ist das Zauberwort – das weiß ich, seit ich bei meiner ersten Entbindung erlebt habe, was es heißt, wenn eine Hebamme keine Zeit für ihre Patientin hat. Ich wartete allein und schmerzzerschlissen Stunde um Stunde in einem neonbeleuchteten, weißgekachelten Raum darauf, dass sich entweder mal jemand um mich kümmert oder – noch besser – dass das Kind endlich kommt. Gegen Ende dieser Folter kehrte sich ohne Vorankündigung das Zeitkontinuum komplett um, alles musste plötzlich ganz schnell gehen. Nach dreißig Stunden Wehen wurde meine Tochter in einem Gewaltmarsch von zwanzig Minuten geholt. »Geboren« würde ich das wirklich nicht nennen, was sich da unter Geschrei in einem Ostberliner Krankenhaus vollzog.

Heute ist das Gott sei Dank anders. Die Hebammen hier verfügen über reichlich Zeit für Männer, Frauen und Kinder. Sie zeigen den neugierigen Elternaspiranten die Geburtszimmer, in denen es terrakottafarben und kiefernholzig zugeht und wo nur das CTG-Gerät auf dem Nachttisch stumm davon kündet, dass es in diesen Räumen Tag für Tag mächtig zur Sache geht. Nur ganz leise wehen mich meine eigenen Erinnerungen an diese Nacht im Mai noch an. Tausendmal besser war das als in der Ostberliner Kachelfabrik. Aber machen wir uns nichts vor: Ein Kind zu gebären ist, wie eine Kokosnuss zu kacken. Mein süßes Verdrängen ist umso erstaunlicher, als ich in den ersten Jahren nach der Geburt bei diesem Thema heulend in Schnappatmung verfallen bin – selbst dann noch, wenn ich im Fernsehen eine Schauspielerin sah, die sichtlich aus rein dramaturgischen Gründen nur so tat, als gebäre sie. Wie gesagt, das Vergessen hat Mutter Natur klug eingefädelt.

Eine erstgebärende Interessentin schaut nun versonnen auf die blank gewienerte Geburtsbadewanne. Man sieht: Sie hat sich schon entschieden, sie will ihr Kind genau hier zur Welt bringen. Da wäre nur eine Kleinigkeit: »Ich möchte meine Mama, meine Schwester und meine Schwiegermutter mitbringen. Ach so, und ihn hier natürlich auch«, sagt sie und deutet auf ihren sehr sympathisch aussehenden Mann. »Geht das? Also so was wie 'ne Geburtsparty?« Die Antwort ist relativ naheliegend. Das Zimmer hat schätzungsweise vierzig Quadratmeter inklusive Toilette, Wanne, Doppelbett und dem guten alten Pezzi-Ball. Würden hier sechs Leute herumschwirren, gäbe das ein nicht nur logistisches, sondern garantiert auch ein gruppendynamisches Fiasko. Aber die Hebamme nickt und sagt begütigend: »Darüber können wir ja noch mal reden.« Und ich denke: Party? Was für 'ne Party? Das hier, Schätzchen, wird ein Marathonlauf. Und du wirst verdammt froh sein, wenn du endlich das Ziel erreicht hast und die Kokosnuss auf der Welt ist.

In Rufbereitschaft oder Die angesagte Hebamme

Letzten Sommer ist sie wiedergekommen. Zurück nach Deutschland, zurück nach Berlin. Die Hebamme war mit Mann und Kindern drei Jahre lang in China, ihr Mann hat dort gearbeitet. Sie hat sich in Akupunktur und Traditioneller Chinesischer Medizin ausbilden lassen. Jetzt sitzt sie in einem dieser sauber duftenden Zimmer des Geburtshauses und erzählt von sich. Davon, was sich hier verändert hat und wie die Mütter und Väter versuchen, alles perfekt hinzukriegen. Dabei, das weiß sie genau, funktioniert das nicht, wenn ein Kind geboren ist. Kann es nicht und soll es nicht.

Ich bin schon ewig Hebamme, vor fünfundzwanzig Jahren habe ich meine Ausbildung beendet an der Berliner Charité, da war ich gerade volljährig, wahnsinnig jung eigentlich. Bis 1990 habe ich in einem Krankenhaus am Stadtrand gearbeitet, dann, gleich nach dem Mauerfall, bin ich als Entwicklungshelferin in den Jemen gegangen. Das war eine ganz tolle Zeit. 1994 bin ich beim allerersten Ostberliner Geburtshaus eingestiegen, du hast ja auch hier entbunden, nicht wahr? Damals habe ich quasi mein Privatleben zugunsten des Berufs aufgegeben. Wenn ich samstags über den Kollwitzplatz gegangen bin, musste ich erst mal zehn Gespräche führen, bis ich die andere Platzseite erreicht hatte. Überall Frauen, die bei mir ihre Kindchen bekommen haben. Meinen Mann hat das manchmal genervt, ich fand's aber toll. So wollte ich immer arbeiten: mitten unter den Familien. Mit der Arbeit im Geburtshaus war das endlich so.

Was sich in den letzten Jahren verändert hat, ist

die Haltung der Schwangeren. Sie möchten gern ein Rundum-sorglos-Paket buchen, sind sehr serviceorientiert. Das wundert mich nicht. Mutter werden, Mutter sein war in Deutschland schon immer eine aufgeladene Angelegenheit, in den letzten Jahren ist das nach meiner Beobachtung noch mehr geworden. Und hier im Prenzlauer Berg bilden Mütter, Eltern überhaupt, eine riesige Gruppe. Das macht stark und sehr selbstbewusst. Aber Mutter zu sein ist ja in der Realität nur für kurze Zeit etwas Besonderes, der Alltag holt dich sehr schnell wieder ein. Wenn du mit deinem Schreibaby oder einer Brustentzündung zu Hause sitzt – so etwas erdet. Und da helfen wir Hebammen dann weiter.

Die Frauen hier in der Ecke, die sind gut ausgebildet, sehr gut informiert, viele kriegen relativ spät ihr erstes Kind. Die bringen von ihren Krankenkassen eine ellenlange Checkliste, auf der sie schwarz auf weiß nachlesen können, was alles schiefgehen könnte. Die gehen wir mit ihnen durch, das macht ihnen natürlich Angst, und deshalb soll die Hebamme des einzigen Kindchens aber dann bitte auch hoch professionell sein. Mit diesem Druck mussten wir im Geburtshaus auch erst einmal umgehen lernen. Inzwischen haben wir hier eigentlich alles im Angebot, was die Frauen sich zusätzlich wünschen könnten: Akupunktur, traditionelle Chinesische Medizin, Schwangerenyoga, Ernährungsberatung, fremdsprachige Hebammen. Das sind so unsere Nischen, die unterscheiden uns von den Geburtskliniken.

Ich sehe zu, dass nach der Geburt auch wieder die professionelle Distanz einzieht zwischen den Frauen und mir. Das fängt damit an, dass ich und meine Kolleginnen hier im Geburtshaus die Paare beim Infoabend erst ein-

mal siezen. Erst später, wenn wir sie durch die Schwangerschaft und Geburt begleiten, wenn man körperlich wird, duzen wir uns, das kommt ja dann ganz selbstverständlich. Nach der Entbindung, am Ende der Wochenbettnachsorge, signalisiere ich ihnen: »Dann und dann ist mein letzter Besuch bei dir.« Da machen wir die ganze Dokumentation fertig, halten noch ein Schwätzchen, und dann war's das mit uns beiden. Vielleicht bis zur nächsten Schwangerschaft.

Anders ginge es auch gar nicht. Das ist schon ziemlich happig mit der Dauerrufbereitschaft. Immer ist mein Handy an, ich kann Tag und Nacht von den Frauen angerufen werden. Sich mal einen antrinken, spontan übers Wochenende wegfahren, mit der Familie oder Freunden feste Verabredungen treffen – das geht in meinem Job nicht. Zigmal bin ich schon zu Hause vom Essenstisch losgedüst, zigmal im dunklen Kino über die Sitzreihen nach draußen geklettert, zigmal habe ich Freundinnen versetzt, weil eine Frau ihr Kindchen bekommen hat. Und doch – ich kann mich davon nicht trennen, so ist mein Beruf.

Seit wir aus China zurückgekommen sind, mache ich einmal im Jahr drei Monate ohne Rufbereitschaft, das habe ich mir fest vorgenommen. Bald ist es wieder so weit, ich freue mich schon darauf, wenn das Ding hier einfach mal ausbleibt. Ich bin jetzt vierundvierzig und fange an, auch nach mir selber zu gucken. Ich sehe, es gibt Kolleginnen, die sind ganz dicht am Burnout: Hebammen müssen immer gute Stimmung machen, für jedes Problem eine Lösung finden – das schlaucht. Wichtig ist in unserem Job vor allem die permanente Empathie für die Frau und ihre Probleme, aber wir Hebammen sind auch Persönlichkeiten mit eigenen Leben. Es gibt un-

ter uns ganz Weiche und eher Coole – all das muss wiederum mit den Bedürfnissen der Schwangeren zusammenpassen. Und genau da muss jede von uns aufpassen, dass sie sich gegen Überforderung schützt, dass sie sich gut fühlen kann bei ihrer Arbeit.

Wichtig ist, gerade in so kinderreichen Gegenden, der Ruf einer Hebamme. Es gibt ja welche, die sind angesagt, das läuft über Mundpropaganda, und man wird dann in Freundes- und Bekanntenkreisen regelrecht rumgereicht. Geburt ist halt ein sensibles Thema, manche Frauen haben in Kliniken schlechte Erfahrungen gemacht, sie haben Einsamkeit erlebt, Angst, Schmerz, manche möchten solche Erlebnisse im Geburtshaus heilen. Und das bieten wir zusätzlich zu unserem geburtshilflichen Können: persönliche Zuwendung, Aufgefangensein, vor allem Zeit. Zeit ist das Wichtigste. Die allermeisten sind mit unserer Arbeit sehr zufrieden, das wissen wir aus den Befragungen, die wir gemacht haben. Klar gibt es da auch mal ein, zwei Unzufriedene drunter, das sind eher Frauen, die wir unter der Geburt doch ins Krankenhaus verlegen lassen mussten, so etwas kann traumatisch sein. Mit ihnen führen wir dann Nachgespräche, oder wir vermitteln ihnen eine gute psychologische Betreuung.

Die Eltern von heute unterscheiden sich von denen vor, sagen wir mal, gut zwanzig Jahren. Frauen, die Anfang der Neunzigerjahre bei uns entbunden haben, die haben damit echt Mut bewiesen. Ein Geburtshaus, so etwas gab es bis dahin gar nicht, das Ganze war also eine moderne Situation, ein Wagnis, das sie eingegangen sind, um selbstbestimmt außerhalb der Kliniken zu entbinden. Viele dieser Frauen wurden sehr ernsthaft von ihren Müttern gewarnt, das Kindchen nicht einer solchen Gefahr auszusetzen, sie sollten doch besser ins Krankenhaus gehen zum Entbinden. Wir waren hier im Prenzlauer Berg ein Haufen sehr aktiver Leute. Die Familien von damals haben viel bewegt: Kitas gegründet und Schulen. Nach so was, nach Selbstbestimmtheit, moderner Erziehung, hatten wir alle eine große Sehnsucht.

Von dieser Zeit, dieser Dynamik profitieren die Familien hier bis heute. Es ist alles da an Strukturen, mehr, als man wirklich braucht und in Anspruch nehmen kann. In jeder Straße gibt es jetzt eine Hebammenpraxis, überall werden die Frauen umworben: hier ein bisschen Pekip, da ein Pilateskurs, vielleicht noch Massage, Babyschwimmen oder Erste Hilfe fürs Kind … Diese Konkurrenz erzeugt auch Druck bei den Frauen: Wie schaffe ich das bloß mit dem Baby, wie mache ich alles richtig? Wenn ich meine Hausbesuche mache, sehe ich einen unbedingten Anspruch, perfekt zu sein. Ich komme in perfekt eingerichtete Wohnungen, in denen perfekte Beziehungen geführt werden. Aber natürlich weiß ich, es ist immer problematisch, wenn ein Kindchen dazukommt. Anstrengend, schlafraubend, das volle Programm, ist doch ganz klar. Da haben die frisch gebackenen Eltern schnell mal das Gefühl, überfordert zu sein.

Oh Moment, mein Telefon klingelt, da muss ich ran. Ja? Aha, aha, ja, ich verstehe … Dann schau jetzt erst mal, was die Wehen machen. Lass dir eine Wanne ein und guck mal, was die Wärme macht, und dann rufst du mich vielleicht noch mal an. … Na klar, ist ja klar, wenn die Geburt jetzt losgeht. … Was? Nein. Nein, keine Termine mehr machen, ruf deinen Mann an, das geht jetzt los. Tschüss, du, bis später. Ja, ich komme dann, na klar. Tschüss!

Also das war jetzt typisch. Eine ganz nette Frau, da werden wir heute Nacht bestimmt noch das Kindchen kriegen. Und sie? Fragt, ob sie ihren Sohn jetzt noch zur Musikschule bringen kann. Als gebe es nichts Wichtigeres im Moment! Wo waren wir?

Ach, weißt du, letztlich ist Hebamme für mich immer noch der tollste Beruf der Welt. Ich gehe mit den Familien in dieser Zeit wie in eine Blase, es wird ein süßes Baby geboren, die Frau ist dann eine Mutter, der Mann ein Vater geworden, eine unglaubliche Zeit! Und am Ende darf ich da auch wieder rausgehen. Das ist auch schön. Diese Arbeit ist so vielfältig und überraschend. Früher gab es nicht weit entfernt von hier eine Wagenburg, da haben wir manchmal kostenlos beraten und geholfen. Dort habe ich mal eine Geburt erlebt, wo die Frau ganz frei, ganz easy im Bauwagen entbunden hat, neben sich den Hund im Bett. Frauen haben auch schon im Wald entbunden. Oder die lesbischen Paare, bei denen eine der Frauen per Samenspende schwanger geworden ist – da gibt es dann zwei glückliche Mütter und einen glücklichen Vater. Solche Erlebnisse machen mich froh, das wäre doch früher in der DDR nie möglich gewesen. Darüber freue ich mich als Ossi immer, immer wieder.

Inzwischen gilt der Prenzlauer Berg als super hip, der Bezirk ist angesagt bei Eltern, er ist schnell und international, die verschiedenen Lebensentwürfe treiben hier bunte Blüten. Aber natürlich, letztlich kochen alle nur mit Wasser, ich sehe das ja bei den Familien zu Hause. Wobei – schön wäre, wenn die Mütter hier wenigstens kochen könnten. Viele von denen haben das einfach verlernt: Eine einfache, gesunde Mahlzeit für sich und ihr

Kind kochen, das können sie nicht. Am Herd zu stehen ist nicht hip, das zögern die Frauen lange hinaus. Ist ja auch ganz einfach, hier kriegst du an jeder Ecke preiswertes Essen. In China isst man dreimal am Tag etwas Gekochtes, wenn ich hier in Berlin durch die Straßen gehe, sehe ich die Mütter mit ihrem Salatgestocher – als wäre es verboten, nach einer Schwangerschaft ein paar Kilo mehr draufzuhaben. Da ist er wieder, der Hang zur Perfektion.

Sie muss jetzt los. Die Frau mit den Wehen, der Wanne und dem Musikschulkind wartet. Und spät in der Nacht wird die Hebamme wohl wieder einem der vielen, vielen Kindchen hier den Weg in den Prenzlauer Berg gebahnt haben.

Nachtschwarze Kinderwagen oder Depressive Armada im Hochpreissegment

Als ich ein junges Mädchen war, das aufgrund neu hinzugetretener körperlicher Funktionen feststellen musste, dass es nun von Mutter Natur tatsächlich in die Lage versetzt worden war, Kinder auszutragen, gingen mir vor allem stilistische Fragen durch den Kopf. Die Idee, dass Kinderkriegen etwas mit einem Baby zu tun haben könnte, um das ich mich dann Tag für Tag kümmern müsste, wurde verdrängt von der Frage, wie mir das Muttersein dereinst stehen würde, wie ich aussehen und was ich zu diesem Zweck anziehen und anschaffen würde.

Zu dieser Zeit, so mit fünfzehn, sechzehn Jahren, gehörte ich zu jenen Girls, die sich schwarz kleideten, schwarze Wimperntusche in rauen Mengen verbrauchten und sich hin und wieder im elterlichen Badezimmer das Blondhaar schwarz färbten, was dann sehr unvorteilhaft wirkte. Ich erinnere mich an ein Gespräch zwischen Mutter und Tochter – also mir. Wir waren gerade in der Küche, meine Mutter bereitete das Abendbrot vor, und ich saß, meine schwarz lackierten Fingernägel abkauend, auf dem Mülleimer. »Wenn ich mal ein Kind habe, will ich einen schwarzen Kinderwagen«, tönte ich. »Das«, sagte meine Mutter, »wird es niemals geben. Schwarze Kinderwagen – darauf kannst du bis in die Steinzeit warten. Man legt Babys nicht in Särge.«

Meine Mutter ist eine kluge Frau. Schon oft hat sie mir gute Ratschläge gegeben, vielfältige Lebensbereiche betreffend. Aber in der Kinderwagenfrage hat sie sich absolut geirrt. Im Prenzlauer Berg kreuzen heute ganze Geschwader schwarzer Kindersärge auf Hightechgestellen. Drin liegen Babys, die wiederum nichts als schwarz sehen. Denn ein gemeiner Designer hat die Wagen innen mit dunkelgrauem Baumwollbezug versehen. Ich hoffe, dass diese kleinen Dinger – aus dem dunklen Mutterbauch ins Licht geboren – froh drum sind, dass es in ihrer Kutsche genauso duster ist, wie sie es von Anbeginn kennen.

Davon mal abgesehen, frage ich mich: Tut das not? Welche Idee steckt dahinter, Kinder in Wagen zu betten und zu setzen, deren Farbe doch eher für Cocktailkleider, Hochzeitsfräcke und Beerdigungsanzüge gedacht ist? Um mehr darüber zu erfahren, besuche ich einen der angesagtesten Läden. Zehn Filialen in neun Städten, Slogan: »... richtig gutes kinderzeug«. Kleinschreibung wie bei der RAF. Sibylle hat mir davon erzählt, dort, sagte sie, gebe es alles, was man für Kinder brauche. Und dann auch noch alles, was man nicht brauche, vorausgesetzt, man ist der gleichen Meinung wie sie, dass Kinder nicht jeden Schnickschnack haben müssen.

Und wirklich, da stehen sie, die Kinderwagen: sechs nachtschwarze und einer in fast schon flippigem Dunkelolivgrün. Eine depressive Armada im Hochpreissegment. Warum, frage ich den netten Verkäufer, gibt es keine bunten Kinderwagen mehr? Er, selbst Vater von vier Kindern, fragt sich das ehrlich gesagt auch. Letztes Jahr, erzählt er, habe eine der angesagten Firmen eine Musteredition herausgebracht, sehr cool und bunt. Drei Stück haben sie davon angeboten, Gott sei Dank nur so wenige, denn es sei wirklich schwer gewesen, »die an den Mann zu bringen«.

Seine Formulierung führt mich zu der Frage, ob möglicherweise vor allem die Väter über Kaufen oder Nichtkaufen bei Kinderwagen entscheiden. Ob es nicht vielleicht so ist, dass Männer, die wegen einer kurzen sexuellen Unachtsamkeit künftig gezwungen sind, ihre Hände auf die Buggystange statt aufs Lenkrad eines Autos oder Rennrads zu legen, beim Kinderwagenerwerb instinktiv Richtung Schwarz neigen. Wenn's geht, kauft man sich ja auch eher einen schwarzen Golf statt eines gelb geblümten, nicht wahr?

Abwegig ist der Gedanke nicht. Schaut man sich die Preise der Kinderwagen an, tendieren die mitunter schon in die Richtung eines kleinen Gebrauchtwagens, den man noch mal zehntausend Kilometer runterrocken will. Die Qualitätsgefährte für den innerstädtischen Nachwuchs tragen Namen, als solle man mit ihnen die Rallye Paris–Dakhar fahren oder einen südamerikanischen Sechstausender bezwingen. Oder – wenn das nun schon aufgrund überraschender Elternschaft perdu ist – wenigstens einen City-Marathon laufen. Urban Jungle heißen die Wagen, Phil & Teds Explorer, Terrain Jogger oder Easy Walker Sky Plus. Das soll vermutlich rechtfertigen, dass die Dinger so dermaßen teuer sind.

Der Urban Jungle zum Beispiel kostet mal eben 630 Euro, und zwar ohne Babytasche, in die das Neugeborene gelegt wird. Die kostet noch mal 190 Eisen. Macht 820 Euro. Aber das ist nur die Grundausstattung. Man kann das vergleichen mit diesen ärgerlichen Fahrradkäufen, wo zwei Felgen und ein Rahmen 600 Euro kosten und man feststellen muss, dass es weder Licht noch Schutzbleche oder einen Gepäckträger gibt. Auch der Urban Jungle ist bei 820 Euro längst nicht komplett. Die wichtige Sitzeinlage für die Buggyvariante kostet 51 Euro zusätzlich, der Fußsack für kalte Tage 93, der Sonnenschirm 37 Euro. Das Suncover genannte Moskitonetz für 51 Euro sparen wir uns mal, und den Latte-macchiato-Halter für 15 Euro wünschen wir uns zum Geburtstag. Aber dass auch eine Luftpumpe für 11 Euro angeboten wird, macht stutzig – ist es etwa möglich, dass ich bei Anschaffungskosten von 1000 Euro einen Platten riskiere?

Eine andere Frage, die sich stellt, ist: Was kann das Teil Besonderes, das diesen Preis rechtfertigt? Ich studiere eingehend die Produktbeschreibung. Aha, der Urban Jungle kann sowohl als Babykutsche als auch als Kinderkarre verwendet werden. Normal. Außerdem? Die Babywanne lässt sich als Reisebett nutzen. Mit Verlaub, aber das regeln Eltern von Neugeborenen seit hundert Jahren so, und zwar auch mit preiswerteren Modellen. Die Abdeckung ist abnehmbar? Wow! Und die Wanne kann ganz einfach ins Gestell eingeklipst werden? Aber hallo! Es gibt den Urban Jungle in verschiedenen Farben? Gute Idee. Aber letztlich steht und rollt der Wagen ja doch wieder in Schwarz, Anthrazit, bestenfalls noch in Olivgrün durch die City. Pures Understatement, ratenfinanziert. Wer kann sich so etwas leisten?

Die Preise, die Hightechsprache, das Design – alles lässt darauf schließen, dass die solventen Eltern die Anschaffung eines Kinderwagens heute nicht als Vergnügen, sondern eher als Investition in ein ganz persönliches Projekt ansehen. Als ein Unternehmen, das ihnen dringend gelingen muss und das sie mit gutem Design zu beschwören versuchen. Dieser Erfolgsdruck, der sich in teuren Ausstattungsgegenständen ausdrückt, die die NASA entwickelt zu haben scheint, mag wiederum daran liegen, dass Kinderkriegen zwar gesellschaftlich gewollt wird und Mutterschaft – in Deutschland zumal – als sozialer Fetisch gilt. Andererseits aber ist Familiengründung noch immer im Konkreten ein logistisches Kamikazeunternehmen.

Reden wir hier nicht von Übermüdung und fehlendem Sex nach der Geburt. Nein, reden wir von den Bedingungen. Wer die Frauen sieht, die im dritten Schwangerschaftsmonat von Kita zu Kita ziehen müssen, um sich dort casten zu lassen, wer die überfüllten Spielplätze kennt, das Fehlen der Omas und Opas im Straßenbild, die Unwilligkeit von Unternehmen, Mütter einzustellen, der weiß: Es bleibt schwierig. Und damit es nicht so schwierig aussieht, wie es ist, möbeln die Eltern wenigstens das Gesamtbild auf.

Dass die Fassade stimmen muss, war natürlich schon immer so. Als ich einst unter den etwas beengten volkswirtschaftlichen Bedingungen der Deutschen Demokratischen Republik nach einem Wagen für mein bald zu gebärendes Kind Ausschau hielt, war auch das eine Entscheidung von größter Wichtigkeit. Es gab damals ganz grauenhafte riesige Kinderwagen, die heute auf dem Vintage-Markt vermutlich sensationelle Preise erzielen. Außen waren sie entweder mit einer Art Sofastoff oder mit Gummi bezogen, manche verfügten auch über Guckfenster an den Seiten oder Bordüren mit Troddeln am Verdeck. Mochte ich nicht, so etwas sollten mal schön die Muttis kaufen – ich war eine Schwangere mit Geschmack. Und tatsächlich, ganz kurz vor der Geburt fand ich gebraucht einen dunkelroten Wagen mit weißem Gestänge ohne jeden Schnickschnack. Da hinein legte ich das Kind und schaukelte es durch Ostberlin. Okay, der Wagen war nicht schwarz und das Gestänge kein Aluminium – aber ja, so wie den Eltern von heute war es mir schon damals sehr wichtig, dass die Gesamterscheinung stimmte. Und es war mir dann schließlich auch ganz egal, dass meine kluge Mutter mal wieder recht behalten hatte: Schwarze Kinderwagen würde es nie geben. Jedenfalls noch nicht.

Es gibt keine Kevins mehr oder Die Kinderärztin

Mittagspause in der Praxis. Die Kinderärztin zeigt mir die frisch renovierten Behandlungszimmer. Durch eine ausgeklügelte Raumaufteilung ist es jetzt möglich, zwischen den Räumen zu pendeln, ohne jedes Mal durchs Wartezimmer zu müssen, wo die ungeduldigen Eltern mit den kranken Kindern warten. Eine Stunde Zeit hat sie für unser Gespräch. Dann los!

Ich habe jetzt genau zwanzig Jahre meine Kinderarztpraxis hier in Prenzlauer Berg. Ihre Tochter war ja auch mal meine Patientin, ich kann mich aber ehrlich gesagt nicht erinnern. Wenn ich Sie hier vor mir sitzen sehe, denke ich an ein kleines Mädchen, das ein bisschen zu dünn war und überhaupt nicht gern zum Arzt ging, nicht wahr? Ja, meine Schreibtischschublade mit den Belohnungs-Gummibärchen ist immer noch dieselbe: hier, die zweite von oben.

Wie es mir geht, fragen Sie. Naja, ich habe gut zu tun. Meine Praxis ist jeden Tag von acht bis zwölf geöffnet, außerdem zweimal pro Woche von vierzehn bis achtzehn Uhr. Das klingt ganz gemütlich, ist es aber nicht, weil ich zusätzlich noch alle möglichen Briefe und Anträge für die Patienten schreibe. Also Kuranträge, Gutachten für den Psychologen, Bescheinigungen, so etwas, das mache ich alles zusätzlich zur Sprechstunde, das zahlen die Kassen ja nicht. Auch nicht, dass ich hier jede Menge Lebensberatung gebe für all die Eltern, die nach Struktur suchen, nach Hilfe, weil ihre Kinder nicht schlafen, weil Kinderhaben wirklich anstrengend ist und sie das logischerweise manchmal fix und fertig macht.

Was ich hier sehe, sind die riesigen Erwartungen, die die Eltern an ihre Kinder haben. Sie freuen sich auf das Baby, und dann kommt es auf die Welt und sie können nicht schlafen. Das ist schlimm, ich weiß. Aber die Mütter und Väter setzen sich ihren Kindern gegenüber auch nicht durch. Sie wollen weiter was erleben und auf nichts verzichten. Und damit das Kind ruhig bleibt, lassen sie zum Beispiel zu, dass es andauernd den Nuckel drin hat. Das ist ja eine Möglichkeit, ein Kind ruhig zu kriegen – aber am Tage, wenn es wach ist, sollte man den weglassen. Allerspätestens, wenn das Kind läuft, gehört der Nuckel tagsüber weg.

Viele denken auch, sie müssten endlos stillen. Ich finde, zwölf Monate wären das höchste der Gefühle, aber ich sehe hier Stillkinder, die sind drei, vier Jahre alt und kriegen davon eine Vorderzahnkaries. Auch weil ihnen ständig etwas zu trinken angeboten, immer etwas in den Mund gesteckt wird. Die Eltern haben diese Wasserflaschen dabei und fragen mich dann besorgt, warum das Kind so viel trinkt, ob es vielleicht einen Diabetes hat. Dabei ist das nur eine schlechte Angewohnheit, die man einfach abstellen muss.

Als modernes Allheilmittel gilt hier im Bezirk die Ergotherapie. Das ist eine zeitgemäße, kassenfinanzierte Möglichkeit, sich und das Kind zu beschäftigen. Es ist ja ein allgemeines Hin- und Herschaffen zu beobachten: zum Arzt, zum Ergo, zum Logopäden, zum Babyyoga, zu irgendeiner Art von Förderung. Da wartet dann jemand anderes, der was mit dem Kind macht. Die Mütter sitzen schon ab morgens im Café oder auf dem Spielplatz, ich sehe das ja. Da unterhalten sich eher die Frauen untereinander, als dass sie mit ihren Kindern spielen. Und die

Kinder wissen auch gar nicht mehr, wie man spielt. Sehen Sie hier noch jemanden Hopse spielen? Oder Fangen? Die Kinder sind symbiotisch mit ihren Müttern, die stellen so was wie die besten kleinen Freunde der Frauen dar. Es wird auch viel zu viel erklärt, ständig reden die Eltern auf die Kinder ein und begründen ihr Tun. Das tut den Kindern nicht gut, die brauchen Entscheidungen und Struktur, daran können sie wachsen.

Hier wohnen inzwischen kaum noch sozial Schwache, für eine Ärztin wie mich ist das eine richtig gute Klientel: Alle haben Geld. Ich denke ja manchmal, die Leute meinen, wir hätten in Ostberlin noch so eine Art halben Sozialismus. Gesundheit darf nichts kosten. Und wenn die Leute doch für etwas zu zahlen bereit sind, dann ist das meist Homöopathie oder es sind Sachen, die ihnen die Apotheker eingeflüstert haben: Das wirkt Wunder, sagen die, und das können Sie sich auch ganz einfach von Ihrer Kinderärztin nachrezeptieren lassen. Gestern war hier eine Mutter, die hatte sich Läusemittel aufschwatzen lassen, 350 Milliliter für 75 Euro. Ich hab ihr das Rezept geschrieben, ich hab bei so etwas einfach nicht die Kraft zu widersprechen. Aber wenn ich bedenke, dass ich pro Patient ungefähr 35 Euro von den Kassen bekomme, ist das natürlich ein Hammer.

Ich schicke selten jemanden weg. Wenn die Eltern hier ankommen mit ihren kranken Kindern und sagen: Frau Doktor, Sie wurden uns empfohlen, Sie sollen so eine tolle Kinderärztin sein, dann lächle ich. Aber eigentlich möchte ich das nicht hören. Die Leute können wirklich nicht einschätzen, ob ich gut bin als Medizinerin. Sie können mich mögen oder so, das ist schön, aber das andere wissen sie einfach nicht.

Es gibt eine Mutter, die hat gewechselt, weil sie sehr unzufrieden mit mir war – und ehrlich gesagt auch ein bisschen dämlich, wie ich finde. Dabei habe ich ihrem Kind das Leben gerettet. Morgens war sie hier, da hatte das Kind seit zwei Tagen Fieber. Ich habe sie nach Hause geschickt, und wir haben verabredet, dass ich sie mittags anrufe, um mal zu hören, wie es dem Kind geht. Da war auch noch alles okay so weit. Aber irgendwas hat mir nicht gefallen, irgendwas stimmte nicht. Deshalb habe ich gesagt, wir telefonieren noch mal nachmittags. Aber da war die ganze Zeit besetzt, also bin ich nach Praxisschluss bei ihr zu Hause vorbeigefahren, ist ja gleich hier ums Eck. Sie war erstaunt, dass ich vor der Tür stehe und hat gesagt, es ist alles in Ordnung mit ihrer Tochter. Na, habe ich gesagt, wenn ich schon mal hier bin, will ich sie mir auch schnell noch mal ansehen. Und da hatte die Kleine schon diesen abgewandten Blick und fing an zu krampfen. Ich habe sofort in der Klinik angerufen und alles für einen akuten Meningitis-Fall vorbereiten lassen.

Die Frau hat danach zu einem anderen Kinderarzt gewechselt. Sie war der Meinung, die Hirnhautentzündung hätte ich schon morgens in der Praxis diagnostizieren müssen. So etwas geht mir nach, wissen Sie. Ich brauche Anerkennung, und ich spüre den Druck, der auf mir lastet. In so einer Einzelpraxis sind Sie allein mit Ihren Entscheidungen, die müssen Sie oft sehr schnell treffen. Teilweise fühle ich mich mit alldem überfordert und einsam, ich leide mittlerweile auch unter Schlafstörungen.

Witzigerweise verbindet mich genau dieses Thema mit vielen Eltern. Sie kommen her, weil sie nicht schlafen können. Weil ihre Kinder nicht einschlafen, nicht durch-

schlafen, weil sie jemanden brauchen, der ihnen mit ihrem neuen Baby Struktur gibt. Die Eltern haben allerdings Ansprüche, die nicht zusammengehen: Sie wollen ein Kind, das früh einschläft und spät wieder aufwacht, damit sie dazwischen viel Zeit für sich haben. So hat das die Natur aber nun mal nicht eingerichtet. Ich erkenne den Lebensrhythmus meiner Patienten zum Beispiel an den Autos hier in der Straße. Wenn ich um halb acht Uhr morgens herkomme, finde ich schwer einen Parkplatz; aber so gegen neun fahren die Leute doch mal los zur Arbeit, dann wird endlich was frei.

Die Eltern, die heute hier leben, lesen sich unheimlich viel an. Bevor sie zu mir kommen, wissen sie immer schon alles. Ich verstehe das, es ist ja ein Zeichen der Unsicherheit, die sie spüren. Wem sollen sie vertrauen: der Schulmedizin, der Naturheilkunde, der Hebamme? Das Kind ist ja das Kostbarste, was sie haben. Neulich war eine Frau zur U2 hier, der Kinderuntersuchung nach der ersten Lebenswoche. Das Baby hatte ein Nabelgranulom, eine Gewebswucherung am Nabel. Na, sage ich zu der Mutter, das ätzen wir weg, ich geb Ihnen einen Ätzstift mit. Danach kam sie nicht wieder. Heute habe ich angerufen, ich brauche ja den Stift zurück. Ja, sagt die Mutter, Stift kommt morgen, Kind wurde von der Hebamme mit Kochsalz behandelt. Wenn die Frau morgen herkommt, werde ich das ihr gegenüber nicht als Problem darstellen. Mit so was halte ich mich inzwischen zurück.

Alles soll ja »natürlich« sein, was man dem Kind verabreicht. Aber wenn es hustet und hustet, will man doch ein wirksames Mittel. Die Kinder heute sind nicht kranker als vor zehn oder zwanzig Jahren. Was aber immer weiter zunimmt, sind Hautprobleme. Klar, Sauberkeit und Chemie sind was Wunderbares, aber die Kinder entwickeln dadurch kaum noch Resistenzen. Naja, und die Läuse. Das ist halt normal in einer Großstadt, wo so viele Menschen eng beieinanderwohnen.

Als ich vor zwanzig Jahren meine Praxis eröffnet habe, bin ich extra in den Prenzlauer Berg gegangen. Ich hätte ja auch, nur mal zum Beispiel, in den Wedding gehen können. Aber das wollte ich nicht: Das wäre ja im Westen gewesen, und den kannte ich da einfach nicht. Also hier. Dann kamen die ersten Westeltern mit ihren Kindern, und ich stellte fest: Die sind ja richtig nett. Aber auch deutlich komplizierter. Was denen so ein bisschen abgeht, ist, sich auch mal Gedanken um andere zu machen. Die haben geerbt, haben also Geld oder eine schöne Eigentumswohnung, brauchen nicht so viel zu arbeiten und haben Zeit, sich ganz gründlich ihrer Elternschaft zu widmen. Das ist manchmal wirklich anstrengend.

Sozial Schwache sehe ich eigentlich kaum noch. Das finde ich schade. Es gibt hier keinen Kevin mehr, keinen Maik, dafür ganz viele Nepomuks und Lottas. Die Gesellschaft spaltet sich in Bildungsferne und Bildungsnahe. Das ärgert mich sehr. Ich habe darüber nachgedacht, wie man solche einseitigen Strukturen aufbrechen könnte und stelle mir vor, Berlin würde alle Schulen in den Problembezirken schließen – da gäb's dann einfach keine mehr. Und die Kinder würden stattdessen in die sogenannten besseren Bezirke zur Schule gebracht. Vom Wedding in den Prenzlauer Berg, von Neukölln nach Steglitz und so weiter. Zwei bis vier ärmere Kinder in jede Klasse – das würde allen guttun und gäbe sicher keinen Aufschrei. Mächtigen Protest gäbe es aber ganz sicher, wenn die Sache andersrum laufen würde, wenn die Prenzlauer Berger Kinder in den Wedding müssten. Aber einen Versuch wäre es wert. Finden Sie nicht?

Die Stunde ist um. Vor der Tür des Behandlungszimmers hört man die Sprechstundenhilfe werkeln. Sie ist aus der Mittagspause zurück, jeden Moment kommen die ersten Patienten der Nachmittagssprechstunde. Die Kinderärztin verabschiedet mich, jetzt geht's weiter.

Sexymama oder
Schwanger sein, geil aussehen

Sexymama heißt das angesagteste Geschäft für Dickensachen im Prenzlauer Berg. Sexymama, weil Schwangerschaft und Mode einander nicht zwingend ausschließen müssen und weil die Wörter Sexy und Mama hier eine verheißungsvolle Allianz eingehen. Krieg ein Kind, wir helfen dir, trotzdem geil auszusehen.

Gelegen ist Sexymama gleich ums Eck vom Mutti-Hotspot des Prenzlauer Bergs, dem Helmholtzplatz. Also super, direkt zwischen Spielplatz und Macchiatodestille und nur ein paar Häuser von Sibylles Wohnung entfernt, die mir wärmstens empfohlen hat, mir das pränatale Schauspiel auf den Straßen des Prenzlauer Bergs anzusehen. Wer dann hier wie ich Kaffee schlürft, sieht sie vorbeiparadieren, die Armee der dicken Bäuche. Sibylle hat nicht zu viel versprochen. Nur selten ist die Schwangerschaft dieser Formatfrauen wegen voluminöser Wallekleidung erst auf den zweiten Blick zu erkennen, die meisten tragen Körperbetontes, Stretchiges. Ihre dicken Plauzen mit den Bauchnabelstöpseln ragen horizontal ins Straßenbild, obendrauf lagern üppige Brüste, eng geschnürt.

Ich bin unsicher, wie ich das finden soll. Einerseits ist es wirklich gut, dass Frauen ihre Bäuche so selbstbewusst zeigen; andererseits hat dieses Ausgestellte einen heteronormativen, aggressiven Hautgout, als sei das hier so was wie Krieg in den Straßen. Verloren hat, wer gerade nicht im Babygeschäft unterwegs ist – also Kinderlose, Lesben, alte Frauen wie ich. Wir dürfen nicht mitspielen, denn wir sind augenscheinlich weder Mama und schon gar nicht sexy.

Um ehrlich zu sein, ich habe mich innerhalb meiner Reproduktionsphase nicht gerade sexy gefühlt, egal, wie gut ich gekleidet war. Mir war schlecht, ich war fett und pickelig, andauernd musste ich pinkeln, und eine Laune der Natur sorgte dafür, dass ich als nicht eben kleine Frau irgendwann in einen obskuren Watschelgang verfiel. *Pregnancy waddle* heißt diese Fortbewegungsart auf Englisch, was andeuten soll, dass ich wie ein betrunkener Matrose auf schwankenden Planken durchs Straßenbild kreuzte. Hinzu kam bei mir ein Gesichtsausdruck, den ich nicht anders als Kuhblick nennen kann: eine Art, leicht abwesend aus tiefer als sonst liegenden Augen in die Welt zu schauen, die ich auch heute noch bei schwangeren Geschlechtsgenossinnen beobachte.

Versprochen worden war mir etwas anderes. Die einschlägige Ratgeberliteratur verheißt ja jenen Frauen, die sich aufs Kinderkriegen einlassen, gern jugendliche Schönheit, mütterliches Selbstbewusstsein und – wegen der Hormone – grandiosen Sex. Nichts davon ist eingetreten. Hatte ich bis dahin nie Hautprobleme – während der Schwangerschaften schmückten widerliche Pickel mein blasses Gesicht. Die neun Monate waren alles andere als die einer Frau, die weiß, was sie tut, im Gegenteil, mit jeder Woche wuchsen meine Unsicherheit, meine Schusseligkeit und mein Körpergewicht. Und Sex? Lassen wir das, ich brauchte sehr, sehr viel Schlaf.

Klar hatte ich Freundinnen, die bis auf ihren Babybauch rank und schlank blieben, glänziges Haar hatten und jede

Menge Lebensfreude ausstrahlten. Frauen, die, kaum war die Geburt vorbei, fragten, wo es denn hier zur nächsten Schwangerschaft gehe, Kinderkriegen sei die einfachste Sache der Welt. Ja, die gab es. Aber wenn ich etwas länger darüber nachdenke, fällt mir genau genommen nur eine einzige ein, die dermaßen geflasht war. Und die hat heute folgerichtig vier Kinder.

Bei mir jedenfalls war es genau andersherum. Besonders peinigend war eine Sonderlaune der Natur, die freundlich »Diastase der Symphysis« genannt wird und im Klartext bedeutet, dass wegen der Hormonproduktion das Schambein höllisch schmerzt. Dagegen kann man nichts machen. Da musste ich durch, und deshalb wurde mein *Pregnancy waddle* gleich noch ein bisschen schwankender. Schön, attraktiv und sexy war das keineswegs.

Die Frauen, die nun hier und heute mit ihren Premiumbäuchen an mir vorbeiziehen, scheinen derlei nicht zu kennen. Aufrechter Gang und stolzer Blick – wie machen die das bloß? Sexymama weiß es. »Du wirst Mama! Du brauchst deshalb keine Kompromisse einzugehen«, nordet die Dickenboutique auf ihrer Website die Frauen ein, »hier findest du die Sahnestücke von über zwanzig internationalen Designern.« Im Klartext: Du kriegst ein Kind, du fühlst dich wie ausgelutscht – jetzt reiß dich aber mal zusammen! Gib uns dein Geld, wir geben dir dafür das Gefühl, trotzdem heiß zu sein.

Interessant auch das Versprechen, dass alle Verkäuferinnen »selbst bereits Mamas oder gerade schwanger sind«. Mit Verlaub, ich würde eher als Hartz-IV-Beraterin oder U-Bahn-Kontrolleurin arbeiten, als unter diesen Einstellungsvoraussetzungen meine Brötchen verdienen zu müssen. Nur Kolleginnen, die Kinder kriegen oder haben? Worüber reden die da den ganzen Tag, wenn gerade keine Kundinnen im Laden sind? Immer nur über Kinder, die eigenen und die der Kollegin? Oder über die dicken Beine der Kundinnen? Über Rückbildung, Dammnähte und Brustentzündungen? Schlimm.

Warum ist es nicht erlaubt, einfach mal neun Monate scheiße auszusehen, wenn man sich sowieso in dieser Zeit jeden Tag wie durchgemüllert fühlt? Warum müssen Frauen so tun, als sei ihre Schwangerschaft ein Kinderspiel, das sie mal eben zwischen zwei Kreativjobs erledigen? Als wären sie trotz ihres Übergewichts, des schlechten Schlafs und der allgemeinen Verunsicherung im Zusammenhang mit solch einem Megaprojekt auch jederzeit noch das Girl von nebenan – bloß eben gerade mit angeknöpftem Bauch und demnächst auch mit Baby und auf Schlafentzug?

Mutter sein, Frau bleiben – ein schöner Vorsatz. Aber gerade im Familienparadies Prenzlauer Berg lässt sich gut beobachten, wie Ökohedonismus ins Absolute kippt. Alles soll gelingen: Kinder kriegen und haben, dabei bitte geistreich bleiben und gut aussehen. Und das Ganze auch noch bio und natürlich. Gestern erst fuhr ich, vom Ökomarkt am Kollwitzplatz kommend, mit dem Rad ins Wegwarte-Haus. Am Straßenrand stand ein großes rotes Werbeschild: STILKELLER, stand drauf. Eingedenk der vielfältigen Möglichkeiten dieses Bezirks, las ich auf die Schnelle natürlich STILLKELLER. Und was soll ich sagen? Ich war nicht mal irritiert, sondern fand es in diesem Übermütterambiente geradezu folgerichtig, dass es einen Kuschelraum für Stillende geben könnte, der nach marktwirtschaftlichen und bionadösen Prinzipien funktioniert. Aber im Stilkeller, das sah ich auf den zweiten Blick, gibt's bloß dekorativen Tineff für Leute, die sich ihr Zuhause à la provence einzurichten gedenken. Ich schüttelte mich kurz, zog von dannen und überlegte, ob es nicht in diesem Laden handgeklöppelte Still-BHs geben sollte. Aber die bietet vermutlich schon Sexymama an. Da gehe ich doch mal nachgucken.

Und tatsächlich gibt es bei Sexymama BHs. Allerdings keine handgeklöppelten, sondern eher, dem Geschäftskonzept folgend, sexy Teile. Dirndlartig karierte, baumwollbespitzte, busenstützende – und natürlich mit Stillklappe. Die Röcke für schwangere Elfen gibt es ab 60 Euro, T-Shirts mit viel Bauchraum um die 30, Kleider kosten 70 und mehr. Tatsächlich sehen die Sachen gut aus, und während ich mich so durchwühle und gucke, werde ich von der freundlichen Verkäuferin gefragt, ob sie mir helfen könne. Ich reagiere unsouverän, fühle mich ertappt im Mamiland und sage wahrheitsgetreu, dass ich nicht schwanger bin und nur mal gucken will. Sie wendet sich milde lächelnd ab, das Ladentelefon hat geläutet. »Sexymama, guten Tag?«, sagt sie in den Hörer. Ich bin ganz gerührt, denn sie spricht das sexy aus wie meine Mutter, gebürtig aus Dresden: sächsi. Toll.

Ich trolle mich. Gleich nebenan gibt es ein Restaurant, wo ich lauwarme, frisch gerollte Sushi esse. Ich setze mich, nippe am grünen Tee und gehe in mich. Sag mal, frage ich mich, kann es sein, dass du neidisch bist? Dass aus dir eine stutenbissige Altmutter geworden ist, die dem jungen Gemüse missgönnt, dass schwanger zu sein heute nicht mehr bedeutet, schlecht auszusehen?

Ich ziehe einen Flunsch und schweige bockig.

Na komm, gebe ich mir einen Schubs, gib's doch einfach zu! Die Frauen in den schönen Kleidern können doch nichts dafür, dass es für dich früher nur hässliche Kittelkleider gab, in denen du wie eine Tonne auf Rollen ausgesehen hast.

Naja, nuschele ich kleinlaut, könnte was dran sein.

Also, ein bisschen mehr Frauensolidarität, ja? Aber pronto!

Ja, ja, ja, ist ja gut, murmele ich. Da betreten wie aufs

Stichwort drei sexy Mamas den Sushiladen und setzen sich direkt an den Nebentisch. Sie sehen wirklich heiß aus in ihren kurzen Röckchen unter den dicken Bäuchen, mit ihren knallrot geschminkten Lippen und den verwuschelten Haaren. Ich gebe mir mächtig Mühe, nur positiv und frauensolidarisch zu fühlen, als die schönste der drei den Mund aufmacht und zu erzählen anhebt: »Also, der Oliver hat ja jetzt diesen geilen Job im Bundespresseamt, unbefristet. Aber dafür muss er richtig ran, und deshalb hat er mir gestern gesagt, dass er die Vatermonate knickt. Erst war ich ein bisschen sauer, ich wollte doch die Heilpraktikerinnen-Ausbildung noch fertig machen. Aber dann hab ich gedacht: Ach, warum eigentlich nicht? Ich bleib dann erst mal ganz zu Hause mit Lilly. Wozu hab ich denn ein Kind, wenn ich es von fremden Leuten betreuen lasse? Und der Olli, dem macht die Arbeit richtig Spaß da. Mal sehen, vielleicht krieg ich ja dann gleich noch ein Baby, wär schon schön, so eine richtige komplette Familie ...«

Ich weiß, das klingt wie ein schlechter Geschlechtertraum. Aber das, liebe Leser, kann man leider einfach nicht erfinden. Genauso ist es passiert. Und ich dachte: Verdammt, ich war nur Millimeter davon entfernt, euch gern zu haben.

Mein Platz, dein Platz oder Mehr Raum für Schwabenkinder

Also sie findet Kinderlärm toll, sagt die junge Frau. Das sei so was wie eine wunderschöne menschliche Soundtapete – das ganze Rufen und Rennen, die Schreie und Balldotzer in der Dämmerung eines langen Sommertages. Da setzt sie sich gern draußen auf ihren klitzekleinen Balkon, knackt sich ein Malzbier, schaut rüber zur Gethsemanekirche, hört den spielenden Kindern zu und freut sich daran, wie die tief stehende Sonne Schatten in die Backsteinvorsprünge des Kirchturms schnitzt. Wunderbar sei das, da gebe es nix zu meckern.

Auch die anderen beiden am Tisch, der Mann und die Frau Mitte dreißig, stehen voll auf die menschliche Soundtapete in ansprechender Innenstadtlage. Deshalb und damit noch mehr Leute hier in der Ecke in diesen Genuss kommen, haben sie eine Bürgerinitiative gegründet. Ihr Ziel lautet: Autos raus, Spielzone rein – ungestörtes umweltfreundliches Familienglück, Laufrad- und Buggyverkehr, Picknick und Keksgekrümel vierundzwanzig Stunden lang täglich.

Doch überraschenderweise finden nicht alle Menschen, die an diesem Kirchplatz wohnen, diese Idee so kuschelig wie die kinderbegeisterte junge Frau und ihre Mitstreiter. Im Gegenteil, sie haben mächtig was zu meckern, die Schichtarbeiter, die Jugendlichen, die Kinderlosen und die Hundehalter – auch wenn sie die Minderheit hier sind. Vor den drei Bürgerbewegten in der lichten Altbauwohnung liegen 123 Fragebögen. 635 hatten die Kinderfreunde kürzlich in die Briefkästen am Platz geworfen. Sie wollten wissen, wie ihre Mitbürgerinnen und Mitbürger die Idee finden, hier alles zu verkehrsberuhigen und stattdessen »einen urbanen Stadtplatz für die Menschen, einen Ort der Begegnung, der Ruhe und der Erholung« zu schaffen.

Nicht allzu viel halten die Nachbarn davon, das stellt sich beim Auswerten der Fragebögen heraus. Nur zwei Dutzend Anwohner finden die Idee mit der Begegnung gut. Ostberlin scheint wohl noch nicht gänzlich bereit, sich den Interessen der Mehrheit, also der Familien, unterzuordnen. »Völliger Quatsch«, hat jemand auf seinen Fragebogen gekritzelt; »es ist schon jetzt viel zu laut.« »Und wo soll ich dann bitte parken?«, fragt ein anderer. Viele schreiben, sie hätten Angst, dass bei zu grünflächigen Bedingungen Müll, Drogen und Trinker an diesem besonders lauschigen Platz ein Zuhause finden könnten. Und wieder andere empfehlen den Autoren des Fragebogens unverblümt, doch einfach wegzuziehen, dahin, wo sie herkommen, wenn es ihnen so, wie es ist, partout nicht gefällt. Na, wer wird denn gleich sauer werden?

Man muss nicht viel vom Prenzlauer Berg wissen, man muss nicht einmal dort gewesen sein, um von der Gethsemanekirche gehört zu haben. Sie steht schön und aufrecht seit über hundertzwanzig Jahren an einem Knick, den die vorbeiführende Straße hier macht. Drumherum begrenzen sie drei schmale Sträßchen, in denen die wohl prächtigsten Gründerzeithäuser stehen, die der einstige Arbeiterbezirk vorzuweisen hat. Im Herbst 1989 liefen hier alle Fäden der kirchlichen Opposition zusammen. Und nachdem die Polizei am Abend des vierzigsten DDR-Republikgeburtstages rund um die Kirche eine Menschenhatz veranstaltet hatte, brannte auf den Kirchenstufen wochenlang ein Kerzenmeer.

Lange ist das her. Damals wie heute ist der Platz um die Kirche eine der beliebtesten Wohnlagen der Stadt. Frei ist und wird hier nichts, wer in dem baumbestandenen Rondell eine Wohnung ergattert hat, der will bleiben – selbst wenn der Lärm der Kirchglocken einem fast den Boden unter den Füßen wegzieht oder nächtliche Parkplatzsucher stundenlang vergeblich ums Karree kreisen. Nicht einmal dann zieht jemand weg, wenn von dem kleinen Spielplatz ganz hinten, da, wo der Gethsemaneplatz am engsten und am schattigsten ist, den ganzen Tag der Kinderlärm schallt.

Die drei von der Bürgerinitiative lesen die teilweise sehr rüden Rückmeldungen ihrer Nachbarn und können es nicht verstehen. Sie haben den Fragebogen doch ganz nett formuliert – und jetzt so etwas! Was, bitte, soll denn so schlimm daran sein, den Verkehr um den Kirchplatz stillzulegen und die Spielzone für Kinder zu erweitern? Ihre Argumentation für die Stadtoase ist doch einleuchtend, nicht wahr? Sie wollen »nutzungsoffene Freiflächen und Bewegungsräume«, eine »Begegnungszone« für alle, in die die Leute ihre Liegestühle raustragen und einander kennenlernen können. »Kinder wollen nicht immer auf vorgegebenen Spielplätzen spielen«, haben sie an ihre Nachbarn geschrieben. »Und wo können sich Menschen jeden Alters noch ohne Konsumzwang auf eine Bank setzen?«

Dieser letzte Satz allerdings lässt Schlimmes ahnen. Wäre ich Anwohnerin des Platzes, sähe ich sie alle schon vor mir: die Selbtsversorger-Mütter, die mitten auf der dann autofreien Fahrbahn die Batikdecken fürs Picknick ausbreiten, die dort stillen und ihre Babys wickeln, die aktuelle *Nido* lesen, übers iPad eine Wagenladung frische Baumwollwindeln ordern und anschließend vielleicht zusammen auf dem umgewidmeten Parkstreifen eine Runde Beckenbodengymnastik absolvieren. Das alles zum ganz kleinen Preis – schließlich wird ja alles, der Caro-Kaffee, die Haferplätzchen und die laktosefreie Milch – selbst mitgebracht. Und wer wirklich was zu essen braucht, bestellt den Lieferdienst.

Wird es Abend, raffen sie ihre Decken und Bobbycars zusammen und gehen alle hoch in ihre Wohnungen. Dann kommen die Ein-Euro-Jobber und räumen den liegen gebliebenen Müll auf. Die Putzleute können anschließend auch gleich die Hundehalter fernhalten, nachts knutschende Paare und betrunkene Touristen vertreiben und am nächsten Morgen das Ordnungsamt rufen, wenn der einzige Rentner am Platz regelwidrig seinen Rollator im Kinderwagenraum geparkt hat.

Die drei von der Bürgerinitiative kommen aus Baden-Württemberg, sie wollen den Prenzlauer Berg doch lediglich zu einem lebenswerteren Ort für sich machen. Kurz: Nicht sie verändern sich, sondern sie verändern die anderen. Bis es passt. In seiner Heimatstadt, erzählt der Mann nun, habe man durchgesetzt, dass einige Straßen tagsüber spielenden Kindern, Rentnern und Radfahrern gehören. Erst abends dürften dann auch die Autos kommen und dort parken. Es habe ein bisschen gedauert mit der Akzeptanz, sagt er, aber die Stadtverwaltung habe so lange gnadenlos abschleppen lassen, bis es auch der letzte Autofahrer kapiert hatte. So müsste man das hier dann auch machen. Aber – jetzt mischt sich auch eine der Frauen ein – in Berlin dürfe man ja alles. Alles! Kaum zu ertragen sei es, wie hier jeder tun und lassen könne, was er will. Und alle gucken weg, keiner greift mal ein.

Was sie meinen? Zum Beispiel Hunde und deren Herrchen beziehungsweise Frauchen. Die gehen hier einfach morgens und abends ihre Runde und räumen nicht mal die Scheiße weg. Vor seiner Haustür, sagt der Mann, lagen letzte Woche wieder drei riesige Haufen, die Kinder machen beim Rausgehen schon immer einen großen Schritt. Und vor der Pfarrhaustür scheint jemand seinen Köter regelrecht anzuspornen, dort hinzumachen. Das stinkt ihn richtig an: dass in dieser Stadt nie durchgegriffen wird. Wem es hier nicht passt, der soll doch einfach wegziehen. Was wollen sie denn schon, die drei? Ein bisschen gute Nachbarschaft, gute Kitas und akzeptable Schulen für ihre Kinder. Und Ruhe dort, wo sie Ruhe haben wollen. So kennen sie das auch von zu Hause.

Aber, frage ich, ist es nicht irgendwie auch ein bisschen nachvollziehbar, wenn so ein kinderlärmpenetrierter Schichtarbeiter seinen Protest in Form von Hundehaufen manifestiert? Und wenn die Leute sauer sind, dass ihnen die engagierten Eltern hier ihre eh schon knappen Parkplätze mit Rasen und Ranunkeln zupflanzen wollen? Meine Frage löst großes Kopfschütteln aus. Andersrum, genau andersherum müsste es doch laufen. Wenn aus dem Gethsemaneplatz endlich eine schöne parkplatzfreie Familienoase geworden ist, erhöht sich endlich der Druck auf die Anwohner, sich mit Alternativen zum Auto zu befassen. Sie haben alle drei keins, es geht doch also. Sie fahren mit dem Rad oder den Öffentlichen, und wenn's zur Oma nach Schwaben geht, mieten sie ein Auto. Warum können denn das nicht alle so machen?, fragen sie. Ist doch viel schöner!

So wird das nichts, denke ich im Gehen. So wird das nichts mit dem Zusammenleben. Volksbeglückung, das haben schon ganz andere versucht hier im Prenzlauer Berg. Bis jetzt ist das immer schiefgegangen. Ich wünsche den dreien trotzdem Erfolg und entwische ins Freie. In der Hofeinfahrt parkt vorschriftswidrig ein Auto, ein Aupair-Mädchen kutschiert einen Zwillingskinderwagen vorbei, ein Bauarbeiter köpft sich ein Mittagsbier. Und von ganz hinten, aus der schattigsten Ecke hinter der Kirche höre ich das übliche Spielplatz-Kindergeschrei. Soundtapete – so weit okay.

Zwei Monate später ist es dann so weit: Die drei von der Bürgerinitiative haben fertig gezählt und stellen die Ergebnisse ihrer Umfrage ins Internet. Warum das so lange gedauert hat, wird jedem klar, der sich das Ganze etwas genauer anschaut. Kurz gesagt sind die Umfragewerte der Autokritiker miserabel. Nicht mal 20 Prozent der Leute waren bereit, den Zettel auszufüllen. Jeder andere würde das als klare Absage seitens seiner Mitbürger werten. Nicht so unsere Freunde von der Bürgerinitiative.

Die halten es da lieber mit den Altvorderen sozialistischen Zuschnitts, die ja auch immer dachten, das Volk sei einfach noch nicht reif für die richtigen Entscheidungen. Und so werten sie die maue Beteiligung als völlig zu vernachlässigendes Indiz und widmen sich ausgiebig den Antworten auf den ihnen vorliegenden Zetteln – das sind noch immer ganze 123 von 635. Im Fokus ihrer Analyse stehen nun nicht mehr die insgesamt Befragten, sondern nur noch die, die überhaupt geruht haben, zu antworten. Die Auswertung kommt mit dieser Sicht der Dinge zu folgendem Ergebnis: »Zwei Drittel der Umfrageteilnehmer befürworten die Initiative einer (teilweisen) autofreien Nutzung; ein Viertel ist dagegen.« Ja, so kann man das sehen, vorausgesetzt, man operiert so wie hier mit Zahlen im My-Bereich.

Ein bisschen gereizt reagieren die Spielplatzfreunde angesichts eines Zettels, den eine Anwohnerin so ausgefüllt hat: »Wir sind noch nie von fahrenden oder parkplatzsuchenden Autos am Schlafen gehindert oder mitten in der Nacht geweckt worden, wohl aber (und insbesondere an den Wochenenden) von fröhlichen, betrunkenen, gröhlenden oder laut lachenden Menschen. Es klingt vielleicht bescheuert, aber uns schützen die parkenden Autos vor Lärm.«

So viel ökologische Vorgestrigkeit bedarf einer öffentlichen Rüge. »Die Anwohner der Gethsemanestraße sind fein raus«, antworten die Analysten in ihrem Papier, weil es da keinen Durchgangsverkehr gibt. »Ignorant, wenn nicht zynisch«, finden sie jedoch die Haltung der offenherzigen Mitbürgerin, »zu übersehen, dass das eigene Auto dann, wenn es gerade einmal nicht still vorm Haus steht, andernorts in der Stadt zu massiver Lärm-, Feinstaub- und Abgasbelastung beiträgt, die offenkundig für Betroffene gesundheitsschädliche Ausmaße annehmen kann.« Zynisch, andernorts, offenkundig, massiv – das ist das Wortbesteck von Agitatoren. Jedes Adjektiv eine Kopfnuss. Als gelernte DDR-Bürgerin rieche ich so etwas zehn Meilen gegen den Wind.

Aber sie regen sich auch wieder ab. Am Ende kommen sie mit ihrem modifizierten Vorschlag rüber: tagsüber den Platz den Bewohnern, nachts den Autos. Es ist verblüffend, wie forsch sie sind. Nach sieben Seiten Umfrageauswertung hat sich einfach kein anderes Ergebnis ergeben als: Keiner will das. Aber weil ein paar Leute so gutgläubig waren und auf ihre Fragen geantwortet haben, müssen diese nun als Öffentlichkeit herhalten, mit der man in einen nicht mehr endenden konstruktiven Dialog zu treten beabsichtigt. In der DDR hieß so etwas: Vorwärts diskutieren! So lange, bis das Ergebnis wunschgemäß ausfällt. Man kann nur hoffen, dass das irgendwann aufhört, dass irgendetwas passiert, das die Initiatoren zum Aufgeben bewegt. Ein Job im Ausland oder ein Erbe in der schwäbischen Heimat. Von allein schnallen die das nie.

Die Tirade der Tanja D. oder Ungekämmte Rinder

Es ist kühl draußen, frühlingskühl: frösteln im Schatten, leichte Wärme in der Sonne. Ich öffne die Tür zum Café und setze mich direkt ans Fenster ins Licht. Eine Quiche, bitte! Auf einer Bank sitzt ein bekannter Schauspieler mit seiner Tochter, die beiden zahlen gerade, dann sind sie weg. Die Chefin geht in die Küche und kommt mit der Quiche zurück. Sie fragt: Jeht's jut? Ich antworte.

Wat schreiben Se? Ein Buch? Na da fragen Se die Richtige. Mir steht's nämlich bis hier mit den Weibern hier im Prenzlauer Berg. Eins im Wagen, eins am Wagen, eins im Bauch, so schettern die hier die Straße runter. Schön is dit nich! Die Weiber hier denken doch, die sind was Besseres. Weil sie Kiiiiinder haben! Huch! Is ja ganz was Neues, dass man sich fortpflanzen kann. Gucken Se, da draußen, schon wieder zwei Rinder. Wie die aussehen! Man könnte würgen, wer geht denn über so wat noch drüber? Friseur? Braucht so eine nich. Mal wat anderet als 'ne Jack-Wolfskin-Jacke? Nee, is nich. Der Alte zahlt ja, den haben se sicher mit dem Blag. Die kommen hier rein in mein Café, drei Kinderwagen auf dreißig Quadratmeter. Dann is hier dicht. Na, sag ich, einen könn Se mit reinnehmen, aber die andern Wagen bitte draußen lassen. Was mir einfällt, macht mich die Olle an, das wäre ja Diskriminierung! Ja, sag ich, wenn Sie hier alle reinrollen, gibt's keinen Platz mehr für andere Gäste. Na hallo, sagt das Rind, das werd ich jetzt überall rumerzählen, dass man hier mit Kindern diskriminiert wird. Ja, sag ich, denn erzähln Se dit mal weiter, dann bleiben solche wie

Sie endlich weg. Oder neulich, da kommt eine rein, Mittagszeit. Bei mir gibt's Salate, Bagels, Suppen. Sagt se: Die Hackfleischsuppe hätt ich gern ohne Fleisch. Icke: Jeht nich, aber bestelln Se doch wat anderet. Sie: Entschuldigung, mein Baby ist hoch allergisch, können Sie verantworten, wenn das Kind einen Schock über die Muttermilch kriegt? Die hab ick rausgeschmissen, klar, is immer noch mein Café. Und dann wieder das Geseiere: Ich zeig Sie an, ich wohne hier und ich werde alle meine Freundinnen davor warnen, zu Ihnen zu kommen. Machen Se dit, machen Se, hab ick noch jesagt. Is doch wirklich wurscht, ob die bei mir einkehren. Die verzehrn eh nix. Sind alles Schwaben, die leiden, wenn se mehr als einsfuffzig ausgeben müssen. Manche setzen sich hin, holen ihre Thermoskanne raus und Kekse fürs Kind: Nein danke, für mich nichts. Spinnen die? Wenn's doch mal 'n Milchkaffee sein darf, dann sitzen die drei Stunden daran, versperren den Gehweg und labern, labern, labern. Haben ja nüscht zu tun. Und dann aber die Milch für den Kaffee ohne Kuh, sondern mit Soja. Kriegen die aber nich bei mir. Klar hab ich so was da, aber für die gibt's das nicht, nur für gute Kunden. Du lieber Himmel, der Prenzlauer Berg war mal underground, schwul, lesbisch, alles, ich komm ja von hier. Jetzt setzen die sich hier im Pulk hin, holen ihre Euter raus und stillen die Kinder. Nicht dass die da mal 'ne Decke drüberlegen oder so – neeeein, das soll jetzt aber auch wirklich jeder mitkriegen, dass sie ihr Baby ernähren können, dass sie das hinkriegen mit vierzig oder wie alt die sind. Großes Getöse. Ick meine, das Wort Stillen kommt ja wohl von STILLE. Aber dit raffen die einfach nicht, die Rinder. Ich hab schwule Stammgäste, die sehen das und sagen: Ent-

schuldige Tanja, mir wird schlecht, ich kann nicht mehr zu dir kommen, wenn die hier ihr ganzes Gehänge rausholen. Kann ick verstehen. Ick hab selber noch mal was Kleines bekommen, der ist jetzt fünf. Sie glauben ja nicht, was bei den Elternversammlungen im Kindergarten abläuft. Da kommen die alle angelatscht, die Kinder natürlich dabei, und dann geht das los: Mein Sohn braucht Spanischunterricht, meine Tochter musste neulich alleine spielen, warum gibt's hier eigentlich kein Bioessen, die Erzieherin hat neulich so unfreundlich geguckt … Die Leiterin, die kenn ich noch von meiner großen Tochter, die ist heulend rausgerannt. Die drohen ja alle gleich mit dem Anwalt – mit dem sind sie ja praktischerweise auch verheiratet. Was die Rinder nicht wissen, ist, dass der längst was anderes am Laufen hat – ich seh das ja alles hier. Die Typen kommen dann abends mit ihrer Sekretärin, knutschen mit der rum, und nachmittags waren sie noch mit ihrer Alten und den Kindern aufm Spielplatz. Das raffen die Rinder nicht, die denken, so, den Alten hab ich sicher, sind ja seine Kinder. Aber die Typen sind da clever. Die haben 'ne schöne Frau geheiratet, haben ihr Kinder gemacht, und dann wurde aus so 'ner Kunstwissenschaftlerin plötzlich ein Muttertier, das sich nicht mal mehr kämmt. Es ist traurig, echt. Ich meine, wir haben unsere Kinder früher auch groß gekriegt ohne das ganze Trara. Wir hatten sie, haben uns gefreut, und wenn es mal ein Problem gab, haben wir es gelöst. Natürlich sind wir immer arbeiten gegangen, gibt doch gute Kindergärten hier, die kümmern sich wunderbar um die kleinen Spatzen. Aber die Rinder finden ja, dass alles genau so sein soll, wie sie es von zu Hause kennen aus ihrem Tal. Also schön erst mal drei Jahre zu Hause bleiben, mindestens. Und dann aber fördern, fördern, fördern! Kinder sind für die kein Spaß, das ist 'ne Aufgabe, die sie lösen müssen. Du lieber Himmel! Ich versteh gar nicht, warum die sich das alles antun, warum die überhaupt hergekommen sind nach Berlin. Sollen die doch zurückgehen, dahin, wo sie herkommen. Da ist es dann auch schön ruhig, so, wie die das kennen. Denen passt ja hier nichts! Zu viel Verkehr, zu viele Häuser, zu wenig Spielplätze. Aber die dicken Familienkombis fahren, fürs nächste Kind, klar. Spinnen die? Hier gibt's so viele Spielplätze wie noch nie. Da sitzen sie dann, die Rinder, und langweilen sich, logisch. Würd ich auch. Aber ich hab zu tun, hab das Café, hab Kinder, hab 'n Freund, ich seh gut aus. Jetzt geht's schon los, dass sie den ganzen Gethsemaneplatz begrünen wollen, also uns Händlern hier die letzten Kundenparkplätze wegnehmen wollen. Das nennen sie dann Begegnungszone. Hallo!? Begegnungszone? Wenn ich jemandem begegnen will, ruf ich den an. Ich will nicht mit jedem hier befreundet sein und zusammen Sandkuchen backen, echt nicht. Ich versteh nicht, warum die nicht einfach wegziehen, wo das doch alles so schlimm hier für sie ist. Laber, laber, nöl, nöl – so geht das den ganzen Tag. In vier Jahren läuft hier mein Pachtvertrag aus. Kann sein, ich muss gehen, weil dieser Hamburger Heini von Vermieter 'ne Hebammenpraxis reinsetzen will. Kann aber auch sein, ich bleibe. Und wissen Sie, was ich dann mache? Dann mach ich hier 'n Pornoladen auf, mit allem Drum und Dran. Da haben die was zu gucken, die Rinder. Und auch gleich was zum Lernen. Auf jeden Fall kommen sie dann nicht mehr hier rein.

Ein Gast betritt das Café. Die Chefin unterbricht kurz, fragt: Wie immer, Holger? Wie immer. An der Kaffeemaschine stehend, erzählt sie ihm, worüber wir gesprochen haben. Holger sagt daraufhin, dass er gerade eine neue Wohnung sucht. Er wohnt in einem Hinterhaus, das direkt auf einen Innenhof mit Spielplatz hinausgeht. Ick halte dit Jeschreie nich mehr aus, sagt er, dreißig Jahre bin ick hier, aber jetze is jut – ick zieh nach Charlottenburg. Da isset ruhig. Die Chefin nickt.

Heimaturlaub oder Stadt versus Land

In Berlin ist ein sensationeller Frühling ausgebrochen. Die Linde im Hof des Wegwarte-Hauses knallt ein Grün ins Betongeviert, dass man schier irre werden kann daran. In den Straßen haben sich idealistische Prenzlauer Berger der kleinen Beetgevierte um die Straßenbäume bemächtigt und dort Tausendschön und Stiefmütterchen gepflanzt. Das ist mutig. Zwar gibt es bei Weitem nicht mehr so viele Hunde in der Gegend wie früher, aber doch immer noch genug, die ihre Blasen und Gedärme im städtischen Raum entleeren wollen und müssen. Die urbanen Gärtner kennen ihre natürlichen Widersacher, sie haben deshalb kleine Holzzäunchen drumherum gezimmert und ihre Kinder mit Edding Botschaften an die Hundehalter draufschreiben lassen. »Bite hier nicht hinkaken.« Süß.

Ich finde das natürlich großartig mit den kleinen Beeten. Da lernen sich die Nachbarn beim Pflanzen mal kennen, man kommt beim Buddeln ins Reden, und das Thema Häuschen-auf-dem-Land ist in solchen Situationen sicher nicht fern. Ich verfüge ja bereits seit Jahren über ein solches und weiß, dass die kleinen Primeln in der schlechten Abgasluft nur eine Andeutung dessen darstellen, was ich in Brandenburg seit Jahren habe. Ranunkelsträucher, krachende Fliederdolden und jede Menge Giersch, das unausrottbarste Unkraut, das es gibt. Unerbittlich zieht es mich beim Gedanken an die grüne Pracht nun in die frühlingsgeschwängerte Heimat. Und ich fahre los.

Man sieht es schon in der S-Bahn. Je weiter auswärts die Fahrgastgemeinschaft reist, desto klarer treten die sozialen Strukturen dieser Stadt, ihrer Bewohner sowie der Umlandanrainer hervor. In der City sieht man noch Hipster und coole Mütter, in den Außenbezirken steigen die Barbour-Jacken-Träger mit Manufakturfahrrädern und TÜV-geprüften Helmen aus. Was dann noch weiterreist, das sind wir Brandenburger. Erschöpfte Niedriglöhner in Takko-Klamotten, die Frauen haben seltsam verwuschelte Dauerwellfrisuren, die Männer zischen ihr Feierabendbier und blättern in der *Bild*-Zeitung. Wir mögen das, wir genießen die Ruhe in der ruckelnden Bahn und freuen uns auf unsere Gärten.

Angekommen, schaue ich mich nach einem kalten Winter im Prenzlauer Berg auf meinem vernachlässigten Grundstück um. Tatsächlich, alles Werden und Vergehen vollzieht sich wie in jedem Frühling. Ein Lavendel ist erfroren, auch eine Rose. Aber die Johannisbeeren haben schon stecknadelgroße Beerendolden angelegt, und die Himbeersträucher haben unterirdische Triebe gebildet, die der effektiven Ernte abträglich sind und deshalb von mir brutal gekappt werden. Ich hocke mich ins Beet und rufe mit der Gartenschere drei Stunden lang die Natur zur Ordnung, anschließend binde ich die Triebe hoch – jetzt könnt ihr wachsen, liebe Himbeeren.

Dort zu knien, den schreibtischfaulen Rücken zu spüren, den Wind in den Haaren und den märkischen Sand zwischen den Zähnen – das ist das Glück in Tüten. Und auf keinen Fall etwas, was sich im innerstädtischen Raum erleben ließe. Außer natürlich, man arbeitet beim Grünflächenamt. Klar sieht man im Prenzlauer Berg sensationell bepflanzte Balkone. Sicher gibt es auch umwerfende Dachterrassen – aber die sieht ja keiner außer den Besitzern, und mehr als hundert Quadratmeter wird wohl kaum eine davon messen. Nein, das Wühlen in der Erde, das Hinundherlatschen zwischen Kompost, Keller und Beet, das Weiträumige und Müßige, das alles sind Dinge, die ich so nur zu Hause finde.

Denn zu Hause ist das hier inzwischen tatsächlich geworden. Auch ohne guten Latte macchiato to go, Sushi-Restaurants und Spätverkaufsstellen. Dass dies hier der zu mir passende Ort ist, diese Erkenntnis kommt mir mal wieder beim Grubbern im Gemüsebeet. Eine Erkenntnis, für die ich Jahre gebraucht habe. Denn machen wir uns nichts vor, der Wegzug vom Prenzlauer Berg in die brandenburgische Pampa war ein soziales Experiment, an dessen Erfolg ich immer wieder aufs Neue gezweifelt habe. Sei es, weil Ende der Neunzigerjahre dieses platte, karge Bundesland über ein handfestes Neonaziproblem verfügte. Weil ich arrogante Großstädterin befürchtet hatte, dass in Sachen Kita und Schule hier noch der DDR-Volksbildungsministerin Margot Honecker gehuldigt würde. Oder weil meine brandenburgischen Grundstücksnachbarn gartenfaschistoid Tulpen und Rosen in Reih und Glied zwischen Waschbetonwege pflanzen würden.

Tatsächlich war alles genau so, wie ich es befürchtet hatte. Und doch wieder ganz, ganz anders – wie eigentlich immer, wenn Vorurteil auf Wirklichkeit trifft. Die Glatzen mit den Stecknadelaugen gab und gibt es tatsächlich, sie waren und sind furchterregend. Jedoch sind sie bei Weitem nicht so viele, dass der Wochenendbesuch aus der Stadt ihrer ansichtig würde und deshalb immer mal wieder nachfragt, wo denn nun hier die Nazis blieben. Kitas und Schulen waren genauso schlecht und gut wie in Berlin, aber wie überall in diesem Land gibt es ja die Möglichkeit zu wechseln. Und die

Nachbarn? Die sind okay. Irgendwann entwickelte ich eine absolute Gleichgültigkeit ihren Vorstellungen von geordneten Gartenverhältnissen gegenüber. Was geht mich das an? Sie halten sich ja auch mit ihrer Meinung zurück, wenn bei mir mal wieder der Rasen zu versteppen droht. Jeder nach seiner Fasson, das hat schon der Alte Fritz gesagt, und so halten wir Brandenburger es immer noch miteinander.

Und weil eben dieser Rasen dringend eines Schnittes bedarf und mein zwölf Jahre alter Mäher nur noch unter stotterndem Getöse seinen Dienst versieht, mache ich mich auf in das soziale Zentrum jeder Kleinstadt: den Baumarkt. Was im Prenzlauer Berg der Spielplatz oder der Biomarkt ist, das ist hier die Welt der praktischen Dinge. Nach meinen ersten urbanen Wochen zwischen gut gestylten Menschen, Macchiatodestillen und Schnickschnackläden namens »Kaufrausch« ist der Besuch des Baumarkts eine Art Hinüberzoomen in die wirkliche Welt mit wirklichen Menschen und wirklichen Gärten und Häusern. Hier geht's ums Praktische, nicht um die Pose. So etwas wie den in Innenstadtlagen beliebten Schmetterlingslavendel oder die empfindliche Ranunkel sucht man hier vergeblich. Hier gibt's zwanzig Regalmeter Geranien (stehend und hängend), Fuchsien, Tomatensetzlinge, Rattenfallen, Grubber und Erdbeerfolie. Und natürlich eine große Auswahl an Rasenmähern, von denen einer, der mir gefallen könnte, erfreulicherweise im Angebot ist.

Ich schaue mir die Kerndaten des Geräts an. 37 Zentimer Messerbreite, 40 Liter Fangkorbvolumen, fünffache Schnitthöhenverstellung und dann noch um 20 Prozent preisgesenkt – da kann man nicht meckern. Während ich sinniere und ein bisschen am Startknopf herumspiele, gesellt sich ein Landsmann zu mir, um die Vor- und Nachteile dieses Rasenmähers zu erörtern. »Schön leicht ist der«, spricht er mich an, »das is was für 'ne Frau wie Sie, da muss Ihr Mann nich mähen.« Ich schaue ihn an. Der genderungeübte Herr ist eines jener brandenburgischen Exemplare, wie man sie hier häufiger trifft: gut genährt, ausgestattet mit jeder Menge Zeit und entsprechend gesprächig. Für den Ausflug in die Öffentlichkeit hat er seinen besten Adidas-Jogginganzug übergestreift: schwarz mit güldenen Streifen.

Er ist ein Klischee auf zwei Beinen, natürlich. Aber ich bin so gottfroh, dass er mich anquatscht! Weil das eben bei mir zu Hause so ist, so handfest. Wir Brandenburger reden nicht über den neuesten Experimentalkinofilm, nicht über Luhmann oder den Aufmacher des *FAZ*-Feuilletons. Wir reden über das Preis-Leistungs-Verhältnis von Rasenmähern in zupackenden Frauenhänden. Und das, genau das habe ich gesucht, als ich einst die Hauptstadt verlassen habe. Weniger Selbstinszenierung, mehr Erdung, das, was man im Allgemeinen unterkomplex nennt. Ich kaufe diesen wunderschönen Rasenmäher, der goldgestreifte Mann hievt ihn mir auf den Transportwagen, und die Kassiererin mit der pink-schwarzen Frettchenfrisur gratuliert mir zu meiner Entscheidung.

Wieder zu Hause angekommen, düse ich mit dem Mäher übers Grundstück. Achthundert Quadratmeter bei siebenunddreißig Zentimeter Messerbreite – das dauert. Kann es auch, soll es sogar. Stumpfe Arbeit, Motorenlärm, großflächiger Erfolg: Am Ende liegt der Rasen wie ein sauber rasierter Igel vor mir. Ich koche einen Kaffee, setze mich raus ins Grüne, bin zufrieden und beschließe, heute ausnahmsweise mal über Nacht am Stadtrand zu bleiben und die Einladung von Bekannten aus dem Ort zum Grillen wahrzunehmen.

Punkt acht Uhr sitzen wir alle ums Feuer. Das Spalierobst an der Loggia kämpft gegen seine Drähte, im Kräuterbeet lugen Liebstöckel und Petersilie in die Dämmerung. Sechs Erwachsene trinken Bier und Met, essen Bratwürste und Salat, und gegen Mitternacht gibt's dann noch ein ordentliches Stammtischgespräch über Politiker im Allgemeinen, blöde Wessis im Besonderen sowie die Untauglichkeit der Demokratie. Mein Mann und ich versuchen, unter dem beträchtlichen Einfluss von Alkohol die zweifellos unvollkommenen, aber bislang alternativlosen Vorzüge des westdeutschen Gesellschaftssystems zu verteidigen. Hätten wir bloß den Mund gehalten. Unsere Brandenburger Mitbürger legen immer entschiedener ihre Sicht der Dinge dar. Politiker – alles Raffkes. Westler – auch Raffkes, nur dümmer. Demokratie – da war es ja in der DDR mit ihrer kommoden Diktatur noch besser.

Ich werde zusehends stiller und denke an meinen schönen Nachmittag im Baumarkt, als ich mich aus ganzem Herzen über die handfeste Unterkomplexität gefreut habe. Dieser Abend am verglimmenden Feuer ist eine weitere Lektion in Demut. Die braucht man nämlich, wenn Vorurteil auf Wirklichkeit trifft. Egal ob man von der Hauptstadt in die Pampa zieht oder ob man – wie ich – in den Prenzlauer Berg geht und dort das Wesen und Wirken eines gentrifizierten Stadtbezirks zu erkunden versucht. Am nächsten Morgen mache ich mich ganz fix wieder auf in die Innenstadt. Frühling gibt's auch dort.

Streifen und Streublümchen oder Nicht jeder nur ein Kind

Fein säuberlich hängen die Strampler, die Kleidchen und Bodys auf der Stange. Beste Baumwolle, gediegene Muster: Streifen für die Jungs, Streublümchen für die Mädchen. Die kleinformatigen Textilwunder sind französischer Herkunft. Petit Bateau heißt die Firma, kleines Schiff, und wer es sich leisten kann, vierzig Euro für ein Sweatshirt oder dreißig für die kleine Ringelhose auszugeben, dessen Kind strahlt darin weltläufiges Understatement auf Prenzlauer-Berg-Niveau aus.

Mitten im Verkaufsraum steht auch ein Kinderhochbett, dessen österreichischer Hersteller die so schöne wie abseitige Idee hatte, das verwendete Sperrholz mit echtem Lodenstoff zu beziehen. Und gleich neben der Kasse liegt Dream Bag, das Bodenkissen für Kinder. Hier im Kinder-Conceptstore gibt es alles, was für eine standesgemäße urbane Ausstattung denkbar wäre. Nötig ist es nicht, aber schön. Auch schön teuer. Das Kissen in Blütenform kommt 130 Euro, das Lodenbett 2100 – ohne Matratze und zuzüglich Versandkosten, versteht sich.

Kinder nur mit dem Besten versorgen zu wollen, ist ein nachvollziehbares Motiv. Nichts ist so einzigartig, nichts so wertvoll wie der eigene Nachwuchs. Aber mal ehrlich, tut es not, Einjährige mit Spielgeräten zu beglücken, die Designpreise gewonnen haben? Sie in Kleidchen zu stecken, die belgische alte Weiblein mit der Hand bestickt haben? Sie in Betten zu legen, die ein zauseliger Öko-Schreiner irgendwo in den Alpen verleimt hat? Macht gutes und teures Design aus ihnen bessere Menschen? Ich darf gar nicht darüber nachdenken, was meine Kinder für minderwertige Klamotten und Spielzeuge hatten, wie viele Pestizide sie in sich reingesabbert haben, als sie auf einem nicht ökologisch korrekten Plastikring rumgekaut haben. Möglicherweise sind sie deshalb heute manchmal so aufmüpfig und egozentrisch, weil ich zugelassen habe, dass sie mit knisternden Alditüten gespielt haben, mit Löffeln aus Nirostastahl gegessen und in Töpfchen gekackt haben, deren Schadstoffwert heute dazu führen würde, dass die Europäische Umweltbehörde einschreiten müsste. Wie gut, dass das heute vorbei ist und Eltern in die Lage versetzt werden, ihren Kindern standesgemäße Ausstattungen und Einrichtungen zu kaufen.

Die Verkäuferin im Conceptstore ist sehr freundlich. Sie führt mich herum und erklärt mir die Trends: In diesem Sommer wird es wieder mehr kleine Mädchen im Laura-Ashley-Stil geben. Das Gouvernanten-Outfit der letzten Jahre klingt aus, die Zeiten waren ernst genug. Jetzt geht's wieder Richtung Blümchen und Schleifchen, tausend kleine Sommerelfen sollt ihr sein, die den Kollwitzplatz bevölkern. »Wer kauft so etwas Teures«, frage ich, »Babysachen passen doch nach drei Monaten schon nicht mehr.« Die Verkäuferin weiß Bescheid. Im Prenzlauer Berg, sagt sie, haben ja die allermeisten mehr als ein Kind, da könne man so ein Buddelhöschen für 35 Euro gut weitervererben.

Sie hat nur ein Kind, einen neunjährigen Sohn. Und ganz ehrlich, schon damit fühlt sie sich hier, wo sich die Familien »stapeln«, wie sie das nennt, unterklassig. Ein Kind? Zu wenig für diesen Bezirk. Tatsächlich kenne auch ich Situationen, in denen ich die Idee, mich vor ein Café zu setzen, wegen scheinbarer Kinderlosigkeit ganz schnell wieder fallen lasse. Das sind jene Etablissements, vor denen hellblau oder weiß gestrichene Klappstühle stehen, auf den Tischen warten Lavendeltöpfchen und sorgfältig designte Speisekarten – dies sind die Eltern-Kind-Cafés. Dass hier nur zeugungs- und gebärerprobte Erwachsene samt Nachwuchs reinkämen, steht natürlich so nicht draußen dran. Die Läden haben hübsche Namen wie »Onkel Albert«, »Café Milchbart« oder »Knilchbar« – sie kommunizieren also schon auf den schnellen Blick regressiven Babytalk auf Konsumniveau.

Aber spätestens wenn gegen elf die ersten Müttergruppen mit ihren Kindern vom Turnen, von der Ergotherapie oder vom Friseur kommen, versperren gigantische Buggygeschwader den Gehweg. Da sitzen die Frauen, trinken eine laktosefreie Latte, bestellen einen Plunder und blinzeln in die Sonne. Derlei sozial eindeutige Cluster umschiffe ich wenn's geht großräumig, da kann der Kuchen noch so gut sein.

Denke ich ein wenig länger über das Phänomen der verrammelten Bürgersteige nach, erinnert mich vieles hier an das Dorf meiner Großeltern. In dem kleinen Ort, dessen Ruhe nur ab und zu von einem Trecker gestört wurde, war es das Privileg der alten Männer, vor dem Dorfkrug zu hocken. Da saßen sie dann, in Hosenträger-Cordhosen, Rentnerhütchen auf dem Kopf und billige Zigarillos zwischen Daumen und Zeigefinger, vor einem schalen Bier. Ab und zu sagte mal einer was – zustimmendes Murmeln. Ansonsten herrschte behagliches Schweigen. Diese Männer hatten ihr Leben gelebt, sie waren sich ihrer Sache sicher, ihrer Entscheidungen und Überzeugungen. Und so ähnlich verhält es sich offenbar auch mit diesen Frauen hier, die ja ebenfalls über endlos viel

Zeit für Muße und ausreichend Geld für Kaffee und Kuchen verfügen. Wie machen die das bloß, denke ich, müssen die nicht auch irgendwann mal wieder arbeiten?

Es ist ein Phänomen der Gentrifizierung, dass sich solche sozialen Phänomene herausbilden. Nicht jeder hier kann das gut ab. Auf die Angebotstafel des Cafés Milchbart haben kritische Bürger FUCK gesprüht. Ob das als Aufforderung oder Drohung gemeint ist, kann sich jeder selbst zusammenreimen. Aber der Laden ist gut besucht, der Milchschäumer zischt fleißig, und die Serviererinnen tragen ihr schönstes Tantenlächeln zur Schau – draußen auf dem Gehweg lungern die Frauen mit ihren Kinderwagen wie eine Gruppe Seekühe in der Polarsonne.

Die Verkäuferin vom Conceptstore fragt sich indes, wohin das alles führt. Auch ihr ist es hier inzwischen zu voll, zu kinderig, zu hermetisch, sagt sie. Klar, sie verkauft diesen Familien ihre Waren des nicht alltäglichen Bedarfs – dennoch spricht sie von Druck, den die ständig zur Schau getragene Familienheiligkeit ausübt. Schon ziehen viele weg aus dem Casting-Bezirk, die Mieten sind zu teuer, die Kitaplätze zu knapp, in den Geschäften gibt's weder Milch noch Brot, sondern jede Menge sinnlosen Schnickschnack. Aber sie hat ja den Job in diesem Laden, einem von fünf derartigen allein in diesem Karree. Und sie hat ihr Kind. Froh ist sie, dass der Sohn schon neun ist, da muss sie mit ihm nicht mehr endlos auf dem Spielplatz hocken. Das, seufzt sie, sei doch die wahre Folter für Eltern, das endlose Warten: auf Spielfreunde, auf Elternfreunde, darauf, dass die Wippe frei wird, darauf, dass es endlich, endlich Zeit fürs Abendessen wird. Jetzt sei der Junge endlich groß genug, sich auch mal selber zu beschäftigen.

Und tatsächlich kann auch ich mich noch gut erinnern,

wie ich einst hier auf dem Kollwitzplatz gesessen habe. Knallende Sonne, kein Baum nirgends, Kind im Buddelkasten, Mutter am Rand – es gibt wahrlich Schöneres. Man kann ja nicht mal ein Buch dabei lesen, bei der kleinsten Unaufmerksamkeit könnte dem Kind was passieren. Dann dieses gegenseitige Belauern der Eltern, das leicht verkniffene Lächeln und das verlogene »Macht doch nichts«, wenn das eigene Kind mal wieder in Verletzungsabsicht seine Schippe gebraucht hat. Wir waren Frauen, die einander alle vom Sehen kannten, aber nur ganz selten ins Gespräch miteinander kamen. Wozu auch? Worüber sollten wir reden? Wir beäugten uns gegenseitig und taxierten, welche von uns die schwerste, die teuerste, die aggressivste Lederjacke hat. Das coolste Fahrrad, das abgefahrenste Kind. Wir waren alle so wahnsinnig erschöpft.

Ich mache mich auf ins Wegwarte-Haus. Auf Wiedersehen, du aufrichtige Verkäuferin, danke für die ehrlichen Worte und guten Umsatz noch! Ich schiebe mein Rad am Kollwitzspielplatz vorbei. Knallende Sonne, kein Baum nirgends, Kinder im Buddelkasten, Mütter am Rand. Alles wie immer. Was bin ich froh, hier weggezogen zu sein. Etwas Besseres als das hier habe ich allemal gefunden.

Im Biomarkt oder

Augen auf beim Waffelkauf!

Jeden Morgen um fünf wird es mächtig laut vor meinem Wegwarte-Fenster. In aller Frühe rumpelt und pumpelt es die Straße herauf – das sind die Lieferfahrzeuge, die die zahlreichen umliegenden Bioläden ansteuern. Diese Autos verfügen nicht nur über einen lauten Dieselmotor, sondern wegen der unbedingt einzuhaltenden Kühlkette auch über äußerst lärmige Klimaanlagen. Ich weiß natürlich, dass die gute Biokost hier besonders gern und reichlich gekauft und zeitig angeliefert wird, und deshalb schließe ich verständnisvoll das Fenster und dreh mich noch mal auf die Seite.

Gesunde und korrekte Lebensmittel sind hier sehr wichtig. Vergleichbar dem Berlin vor hundert Jahren, als die Kartoffeln und Äpfel, die Ziegelsteine und das Leinen noch auf Kähnen und Pferdefuhrwerken vom Brandenburgischen in die deutsche Hauptstadt geschippert und getreckt wurden, sind es heute die Lkws, in deren Bauch all die guten Dinge herbeigeschafft werden. Milch von Kühen, die mit Namen angesprochen werden, Eier von Hühnern, die ihrem Legeauftrag in warmen sauberen Ställen nachkommen, Gemüse, das auf den weiten Äckern nie auch nur in die Nähe chemischen Düngers geraten ist.

Wenn ich in den Bioläden die feilgebotenen Produkte sehe, wird mir warm ums Herz. So schön haben wir es auf dem platten Land nämlich nicht. Bei uns draußen haben kluge Regionalplaner zugelassen, dass an jeder zweiten Ecke Discounterketten ihre Wellblechpaläste hinknallen und davor gigantische Parkplätze zupflastern dürfen, als gelte es, einer anrückenden Armee Platz für ihr Manöver zu bieten. Ja, Parkplätze gelten als warmer Willkommensgruß in Landstrichen, wo das Auto noch immer Fortbewegungsmittel Nummer eins ist. Wir Dörfler essen, was die Kelle gibt. Und wenn wir wirklich mal Appetit auf Sauerteigbrot haben oder die Eier aus der Biohühnerfarm im Nachbarort, dann fahren wir nach Berlin und kaufen dort ein.

Natürlich gibt es auch in unserer wenige Kilometer entfernten kleinen Kreisstadt einen Bioladen. Dort ist ein mürrischer älterer Mann der Herr über all die guten Dinge. Über die herrscht er wie einst zu DDR-Zeiten die Delikat-Verkäuferinnen über ihre knapp bemessenen Schätze. Beabsichtige ich, am Samstagvormittag tatsächlich noch in den Besitz eines Biobrotes zu gelangen, ist der Besuch bei Herrn Grummel zwecklos. Zwar liegen hinter seinem Verkaufstisch noch gut sichtbar fünf, sechs Brote, aber sobald ich versuche, wenigstens ein halbes zu erwerben, wird mir zugegrummelt, dass das Backwerk für »gute Kunden« reserviert sei. Okay, hab ich verstanden, dazu zähle ich mit meinem Einmal-die-Woche-Einkauf offensichtlich nicht. Ich murmele eine Entschuldigung und trolle mich zum nächsten Discounter, der ja nur eine Gehminute entfernt liegt und Brot feilbietet, das nach nichts schmeckt, aber dafür, statt zu schimmeln, einfach verkümmert.

Da ist es hier im Prenzlauer Berg natürlich viel, viel besser. Die höchste Stufe des bewussten Kundendaseins, quasi der Toyota Prius unter den Geschäften, ist der LPG-Biosupermarkt gleich bei mir ums Eck. »LPG« steht für »lecker, preiswert und gesund« und nicht, wie eine gelernte DDR-Bürgerin wie ich tatsächlich zuerst dachte, für Landwirtschaftliche Produktionsgenossenschaft, also einen Erzeugermarkt. Der LPG-Markt wurde, vergleichbar der Situation im Berliner Umland, von kundigen Stadtplanern auf eine einstige Brache gesetzt, auf der bis dahin Musiker und Punks in Wohnwagen gelebt hatten. Nun ist hier auf zwei Etagen alles bereit für den solventen Kunden mit Gemeinschafts- und Schnäppchenmentalität. Bei der LPG kann man nämlich gegen 18 Euro Monatsgebühr Teil der Pfennigfuchserbrigade werden – wer Mitglied ist, zahlt immer ein paar Cent weniger fürs Produkt.

Staunend betrete ich olle Landpomeranze den Eintausendsechshundert-Quadratmeter-Palast. Achtzehntausend Produkte auf zwei Etagen gibt es hier, die Wände sind im beliebten Sienagelb gehalten. Hier gibt's die ganze Welt zu kaufen, ökologisch kontrolliert und fair gehandelt. Im KaDeWe der Bionade-Boheme bewacht kein Herr Grummel die Brote. Stattdessen lächeln mir hinter dem Käse-, dem Fleisch- und dem Delikatessenstand freundliche Grünkittel entgegen, bereit, meine Wünsche umgehend zu erfüllen. Und da, direkt neben mir nestelt Blixa Bargeld seinen Einkaufszettel und die Lesebrille aus der schwarzen Anzugjacke und fragt mit seiner bemerkenswert schönen Stimme nach »Lammfleisch, aus dem man Spießchen machen kann«. Zwei Kilo Keule – »sehr schön« – kauft der Einstürzende Neubau, und gleich nebendran stellt er noch ein Töpfchen Rosmarin in seinen Korb.

Ich schwinge mich auf das schräge Laufband, das mich in die obere Etage bringt – zu noch mehr Produkten, noch mehr Vielfalt und noch größerer Zufriedenheit. Dort hat man für die Familien des Prenzlauer Bergs ein kleines Achthundert-Quadratmeter-Paradies errichtet. Nicht nur, dass es hier alles für Babys und Kleinkinder gibt, also Biowindeln, Körnerbrei, Fruchtsäfte, Stilleinlagen, Weleda-Produkte und Tees, die so sprechende Namen tragen wie »Bald Mami« oder »Sonnenkind«. Nein, es hat auch eine »Kinderparadies« genannte Spielecke, in der sich der Nachwuchs jedoch nicht aufhält – zu räudig sehen die Bauklötzchen, Pyramiden und die einsame Plüschkuh dort mittlerweile aus.

Die Kinder des Prenzlauer Bergs erobern sich die LPG-Räume auf ihre ganz eigene Weise: Sie liegen in den Gängen. Kein Quatsch. Tatsächlich muss hier irgendetwas in der sienagelben Luft liegen, dass die lieben Kleinen dazu bewegt, sich umgehend auf den Boden zu schmeißen, sobald ihre Eltern hier mit ihnen einkaufen gehen. Kleinmenschen haben es sich vor den Müsliregalen, der Kühltheke und zu Füßen der Bionade-Kästen bequem gemacht. Sie langweilen sich, wälzen sich ein wenig auf dem Ökolinoleum hin und her und starren Frauen wie mir, die vorsichtig über sie drübersteigen, von unten in die Nasenlöcher. Ihre Eltern stehen derweil in Grüppchen beisammen. Sie werten den zurückliegenden Kitatag aus, machen einander auf die Vorzüge von Kreuzkümmel aufmerksam und ignorieren ihre herumlungernden Kinder, die für Kunden mit einem Einkaufswagen ein unüberwindliches Hindernis darstellen.

Und was entdecke ich in einem jener Wagen? Zwischen Mangold und Rotwein, Käse und luftgetrockneter Salami liegt ein weiteres Kind. Wie ein gigantischer Brotlaib lagert der Sechsjährige in seinem Teilzeit-Gitterbett, er faulenzt und mault gerade lautstark seine Mutter an: »Kein Amaranth im Müsli, hab ich gesagt. Da muss ich kotzen.« Muttis Hand zuckt wie gewünscht zurück, zufrieden hängt der Amaranthverächter seine dreckigen Gummistiefel über den Wagenrand. Abfahrt!

So viel schlechtes Benehmen, verbunden mit kritikloser Willfährigkeit der Mutter, irritiert mich. Ich ziehe weiter mit meinem Korb Richtung Keksregal und fahnde dort nach jenen Biowaffeln, die ich erst neulich im Sortiment entdeckt habe. Irgendwo hier müssen sie doch sein. Ich stehe und stiere und spüre plötzlich, wie mich etwas von links anrempelt. Es tut nicht weh, aber es vermittelt doch in seiner drängenden Masse, dass meine Anwesenheit hier vor dem Regal nicht erwünscht ist. Ich wende also den Kopf. Und sehe einen Kinderwagen, den mir die dazugehörige Mutter in den besten Jahren wort- und blicklos ins Fahrgestell rammt.

Aha, denke ich, die gute Frau möchte vorbei, und trete beiseite. Aber das scheint den Ansprüchen der graugelockten Bürgerin bei Weitem nicht gerecht zu werden. Mit schräg nach oben gewandtem Blick scannt sie weiter das Regal, während sie in somnambulem Singsang auf ihre Tochter einredet: »Iphigenie, was meinst du, soll die Mama die Sojawaffeln nehmen oder doch lieber die mit Amaranth-Crunch? Sag mal, Iphigenie, was soll die Mama machen?« Die so angesprochene Zweijährige deutet auf die grellste Packung, rechts von mir im Regal. Die Mama folgt augenblicklich dem Wink der Ein-Meter-Königin und fängt nun ernsthaft an, mich mit ihrem Schubverband aus dem Weg räumen zu wollen.

Was soll ich sagen? Ich schubse nicht zurück, obwohl ich dazu sowohl berechtigt als auch befähigt wäre. Ich blaffe diese altersmäßig schon etwas angenagte Frau nicht an, und Iphigenie schon gar nicht. Aber auf dem Weg zur Kasse, vorbei an all den guten Waren, den Eltern und Kindern im Biokonsum-Modus, bereite ich eine kleine Rede vor, die ich der nächsten Mutter dieser Art halten werde:

Liebe späte Mutter! Wenn du meinst, du habest mit der

Geburt deines einzigen Jetzt-wird's-aber-Zeit-Kindes auf der Skala der Menschengemeinschaft eine Art Schutzstatus erreicht, bist du schief gewickelt. Mag sein, dass es in deiner sozialen Gruppe opportun ist, sich mit über vierzig wie Nachbars Lumpi zu kleiden. Mag sein, dass dich eine einmalige Niederkunft in dem Glauben wiegt, die Welt müsste sich von nun an deinen unangemessenen Bedürfnissen nach Platz, Rücksicht und Unterwerfung anpassen. Mag sein, du hältst dich für etwas Edleres, weil die postnatale Hormonausschüttung dir vorgaukelt, du seiest noch mal zwanzig. Aber bedenke bei dem, was du tust, dass die Frau, die du mit deiner einen Iphigenie wegzuschubsen versuchst, womöglich große, womöglich mehrere Kinder hat, die ziemlich unangenehm werden könnten, solltest du noch einmal versuchen, ihre Mutter beim Waffelkauf zu stören.

Du sollst wissen, liebe Fortgepflanzte, dass es lange vor dir Frauen gab, die aus purer Unvernunft und ohne mannigfache monetäre Anreize seitens der Bundesregierung Babys (Plural!) geboren haben. Stell dir einfach mal vor, wie das war, als die Frau, die du achtlos beiseiteschubst, 50 Mark Kindergeld bekommen hat. Fünfundzwanzig Euro! Das würde nicht mal für Iphigenies Pekip-Kurs reichen. Schau dich doch einfach mal um, während du mit deinem Bugaboo-Kinderwagen den Kassenbereich blockierst: Was macht diese Frau, wenn sie den Supermarkt verlassen hat? Ich sag's dir: Sie hat frei. Sie ist frei. Fertig und durch mit allem. Ihre Kinder sind groß. Du hingegen wirst in Altersteilzeit gehen, wenn Iphigenie Abi macht. So sieht's aus, Mutti. Also: Augen auf beim Waffelkauf!

Elterndiskriminierung! oder Wir Menschen ohne Kinder

Es gibt ein Zimmerchen im Prenzlauer Berg, da haben Kinder keinen Zutritt. Ein. Zimmer. Der Raum ist klein, es gibt dort Tische, Stühle, Tageszeitungen, und draußen an der Tür klebt ein Zettel: »Für Ältern ohne Kinder«. Es ist eine Art Schutzraum für Kinderlose, ein Separee für Gäste, die hier in diesem Café einfach nur Kaffee trinken und Zeitung lesen wollen und dabei nicht von rabautzenden Kindern und deren Eltern auf Sendung umgeben sein wollen. Ein paar Quadratmeter Erwachsenenfreiheit innerhalb von elf Quadratkilometern Prenzlauer Berg. Ist doch in Ordnung, oder?

Nichts war in Ordnung, gar nichts mehr, als das Lokalfernsehen über den Extraraum in diesem sonst gerade bei Eltern äußerst beliebten Café berichtete. Der Laden liegt familiengünstig an einer Fahrradstraße direkt zwischen drei guten Spielplätzen, wer hierherkommt, tut das besonders gern mit Kindern. Bei schönem Wetter kann man noch mal pullern gehen, Milchkaffee kaufen und danach Richtung Buddelkasten trudeln. Bei Regen hat es hier eine Spielecke, viel Platz für raumgreifende Kinderwagen, und auf dem Klo warten Wickeltisch, Windeleimer, Jungspissoir und der praktische Ikea-Hocker, damit auch Ein-Meter-Trolle an den Wasserhahn herankommen. Perfekt.

Trotzdem ging die Post ab, nachdem die Nachricht in der

Welt war, dass es im Prenzlauer Berg, dem berühmtesten Kinderparadies der Republik, jemand gewagt hatte, an eine Tür zu schreiben, dass hier ausnahmsweise mal kein Nachwuchs erwünscht ist. Die Zeitungen stürzten sich auf das Thema. Sie schrieben schäumende Texte über die kinderfeindliche Hauptstadt und der Boulevard titelte: »Einmal Kaffee ohne Kind, bitte! Unverschämt oder nachvollziehbar?«

Weil Journalisten reflexhaft arbeiten, taten sie, was man in solch einer Situation tut: Um selber keine Meinung haben zu müssen, holten sie Statements von Politikern ein. So kam es, dass ein FDP-Abgeordneter, von dem man nie zuvor gehört hatte, forderte, das Café zu boykottieren, weil dieser kleine Erwachsenenraum familienfeindlich und zum Kotzen sei. Klar, eine Partei, die in Berlin bis zur Nichtwahrnehmbarkeit Politik macht, muss da schon mal das große Wortwahlrad drehen. Aber müssen das auch die Sozis? Deren Vertreterin fand den Vorgang unmöglich und nicht akzeptabel. Und der befragte Grünen-Abgeordnete keifte los, hier liege ein klarer Fall von Altersdiskriminierung vor und man müsse über ein Verbot dieser Kinderausgrenzung reden. Ein Zugangsverbot verbieten – unsere rebellischen Grünen!

Was ist denn schon wirklich passiert? Zwei Caféhausbetreiber in bester Familienlage entschließen sich, einen Raum für kinderfreie oder kinderlose Gäste einzurichten. Und zwar in einer Gegend, in der Kinder jeder Altersgruppe mehr als präsent sind und – bis auf die paar Quadratmeter – freien, manche meinen auch allzu freien Zugang zu Cafés, Restaurants, Geschäften, Parks, Spielplätzen, gynäkologischen Praxen und was weiß ich noch allem haben. Diesen Raum für andere Lebensentwürfe als den familiären zu reservieren, ist das gute Recht der Inhaber. Der übergroße Rest des Lokals bleibt ja weiter fest in Muttihand.

Bei meinem Besuch dort, draußen auf der Terrasse sitzend, werde ich von einer Babymama mit winselnder Stimme aufgefordert, doch bitte nicht zu rauchen. Es stehen Aschenbecher hier, ich sitze vier Meter von ihr entfernt hinter meiner Zeitung, es geht ein frischer Wind, die Frau könnte ihren Kinderwagen einfach umdrehen ... aber nein, das geht nicht. Das darf ich nicht, hier ist geheiligte Gesundheitszone, die eine wie ich nicht mit einer Nachmittagsfluppe beflecken oder gar vergiften darf. Und was soll ich sagen? Ich tue, wie mir geheißen wird, stecke die Schachtel weg und lächele höflich – so weit ist es schon gekommen.

Es sind Erlebnisse wie dieses, die nicht nur mich darüber nachdenken lassen, ob es hier mit der innerstädtischen Sozialbalance noch seine Richtigkeit hat.

Das Problem erwachsener Prenzlauer Berger außerhalb des Familienkontextes ist es, dass es hier immer weniger Orte gibt, an denen man als MoK, als Mensch ohne Kinder, ungestört sein kann. Wenn gegen Abend die letzten Buddeleimer eingepackt sind, wenn ein letztes Mal das Kind mangels Klo in den Spielplatzbüschen abgehalten wurde, wenn die Familien nach Hause trecken und das Straßenbild freigegeben wird – dann ist da, anders als früher, einfach nicht mehr viel los.

Na gut, man kann noch ins Kino gehen oder was essen. Und mittwochs geht in der Marietta-Bar die Schwulenparty ab – *noch,* muss man sagen. Nach zweiundzwanzig Uhr wurde schon mehrmals von ruhebedürftigen Hausbewohnern Wasser auf die feiernde Gemeinde geschüttet. Aber sonst? Die Klubs schließen einer nach dem anderen, weil sie weggeklagt werden. An den Kneipentüren hängen »Pssst nach 22 Uhr!«-Schilder, und wenn mal eine Hostelhorde auf Klassenfahrt die Kollwitzstraße runterlärmt, wird gleich die Polizei gerufen. Was ist hier los?

Kleinstadt ist hier los, Provinz. Ich bin aus der Kleinstadt in den Prenzlauer Berg gekommen und kann mir gut vorstellen, wie sich das weiterentwickeln wird. Gut zuhören jetzt! Also, derzeit sind ja hier alle in der Reproduktionsphase. Alle kriegen und erziehen gleichzeitig Kinder und gestalten passgenau dazu ihr Umfeld, Spielplätze, Kitas, Hebammenpraxen und Kinderboutiquen bis zum Abwinken. Verkehrsberuhigung, ganz allgemeine Komplettberuhigung, die nicht beeinträchtigt werden darf von Fremden – also von Nichtkinderhabern, Jugendlichen, Unsolventen, schlecht gekleideten Rentnern, Migranten, Störern. Wenn dann doch einmal Fremde die gut geölten Abläufe stören, werden sie entweder ein klein bisschen diskriminiert und gemobbt oder angezeigt. Also: Klagen wegen Lärm, wegen Ruhestörung und Beeinträchtigung. Das heißt dann Bürgerinitiative.

In etwa zehn Jahren wird es dann so weit sein. Die Eigentumswohnungen, Lofts und Townhouses sind nun abbezahlt, aus den Bürgerinitiativen sind Einkaufsgenossenschaften und Kunstvereine geworden, Störer gibt es hier schon lange nicht mehr – denen ist der Prenzlauer Berg einfach zu langweilig geworden. Jetzt könnte alles so schön sein.

Aber leider sind die Eltern jetzt alt und ihre Kinder Jugendliche, die einander einfach nicht mehr verstehen. Die gentrifizierten Jungspunde machen ihre ehemaligen Spielplätze kaputt, klauen in den Biofeinkostgeschäften Trüffelsalami und betrinken sich im öffentlichen Raum mit Lammsbräu. Oder, wenn sie fertig mit der Schule sind, gehen sie nach Tirana oder Manila zum Studieren, weil es dort, wie sie sagen, noch echte Armut gibt. Kinder aus Kleinstädten sind dazu verpflichtet, diese in aufrührerischer Absicht und der unerträglich geordneten Verhältnisse wegen zu verlassen.

Ihre Eltern bleiben ratlos zurück. Sie sind doch damals

hierher in den schönen, sauberen Prenzlauer Berg gezogen, damit es ihre Kinder besser haben als sie einst in ihrer so engen Kleinstadt. Und das ist jetzt der Dank? Ja, das ist der Dank. Die Prenzlauer Berger werden sich warme Gedanken machen müssen, wie es für sie hier mal weitergeht in ihrem aufgeräumten Bezirk. Alle Kneipen und Cafés schließen schon frühzeitig wegen der Lärmbelästigung. Und Häuschen im Umland gibt's keine mehr.

Ein letztes gemeinschaftsstiftendes Abenteuer könnten dann Projekte sein, bei denen die verlassenen Spielplätze zu Community Gardens umgewidmet werden. Aus den vielen Kitas, durch deren ökosanierte Räume der Wind fegt, könnten die alten Eltern Erzählcafés machen. Da könnten sie sich treffen und einander berichten, wie abenteuerlich es hier mal war, als sie damals hergekommen sind, wie schnucklig die Reproduktionsphase verlaufen ist und dass es damals – man glaubt es kaum – tatsächlich ein Wirtspaar gab, das Ärger gekriegt hat, weil es ein Zimmerchen abgeteilt hat für Ältere, zu dem Kinder keinen Zutritt hatten. Boah, das war vielleicht mutig. Verrückte Zeit! Aber leider vorbei.

Edel wie Phorms oder Die glückliche Heather

Zugegeben, meine Kinder machten und machen ein Brandenburger Bauernabitur. Also eines, bei dem sie schon eine ganze Menge lernen, wie ich finde. Doch es ist ein Abi, das sicher nicht so toll ist wie das ihrer Altersgenossen von der Phorms-Schule. Diese Privatschule gibt es seit fünf Jahren, sie stellt quasi den Porsche Cayenne unter den Bildungsinstituten dar. Bilingualer Unterricht, kleine Klassen, Ganztagsbetreuung, Macs in den Klassenzimmern und neuerdings auch eine Kleiderordnung, die vorsieht, dass sich Schüler und Lehrer in den Schulfarben Rot und Schwarz kleiden. Das passt, Phorms gilt als konservative Kinderschmiede, in die vorn kleine Großstädter reingesteckt werden und aus der hinten leistungsorientierte Opinion leader rauskommen.

Ich tue mal so, als hätte ich noch ein Kind im Vorschulalter vorzuweisen und besuche den Informationstag für Eltern. Vierzehn Erwachsene sind wir, die sich in der Schulkantine treffen – dass ich auf Nachfrage angebe, eine vierjährige Tochter zu haben, die kommendes Jahr eingeschult wird, wundert überhaupt gar niemanden. Wir befinden uns hier im Solvente-ältere-Eltern-Bereich, da wäre so eine späte Geburt nicht weiter verwunderlich. Bis zu 1000 Euro monatlich kostet der Schulbesuch bei Phorms, und dass das für manche der Zuhörer völlig in Ordnung ist, sehe ich an den Budapester-

Schuhen, den Maßanzügen der Väter und den leise klickernden BMW-Autoschlüsseln in den manikürten Händen der Mütter. Wer sein Kind bei Phorms anmeldet, hat einfach die Kohle und gut. Pures Upper-class-Understatement.

Zunächst einmal erläutert eine rot-schwarz gewandete Lehrerin das Phorms-Konzept. Von Anfang an wird zweisprachig auf Englisch und Deutsch gelernt, sagt sie, in den Klassen sind nicht mehr als zweiundzwanzig Schüler, die von zwei Lehrern unterrichtet werden, und – ein Hauptgewinn, wenn beide Eltern arbeiten gehen – der Laden ist von morgens bis abends geöffnet. Kommen die vielversprechenden Phorms-Schüler heim, ist alles erledigt, was Eltern kostenfreier Schulen schier um den Verstand bringt: Hausaufgaben, Übungen, Musik, Sport oder die Arbeitsgemeinschaft für die dritte Fremdsprache.

Die rot-schwarze Frau reicht uns dezent gestaltete Faltblätter, die neben den deutschen und englischen Texten Fotos von Kindern an Mikroskopen und Laptops zeigen. Die Botschaft ist klar: Da draußen wartet ein Dschungel auf dein Kind, auf den es optimal vorbereitet sein sollte – wir ziehen das mit euch durch. Yeah. Um Weltläufigkeit und Exklusivität zu kommunizieren, spricht die rot-schwarze Frau andauernd von »unserer Schule, hier am Standort Berlin-Mitte«.

Nichts für ungut, aber das stimmt so nicht. Die Schule befindet sich keineswegs im angesagtesten Ausgehbezirk der Hauptstadt, sondern bereits im Wedding, dem nach Neukölln unangesagtesten Bezirk. Klar, wer will schon für 1000 Euro das Bildungsgesamtpaket buchen, um dann doch festzustellen, dass sein Kind in einer Problemgegend beschult wird. Mit derlei Sorgen will uns die Geschäftsführung nicht belasten und schummelt deshalb ein bisschen bei den Adressangaben. Frau Schwarz-Rot zupft an ihrem breiten Naturseidenschal und zündet nun die nächste PR-Stufe. Von »Skills« ist jetzt die Rede, von »learning support«, von »parent-teacher-conferences« und von »zwei Sprachen, die nur der Anfang sind«.

Tatsächlich können die Master von morgen nach der Grundschulstufe noch Spanisch, Chinesisch oder Japanisch dazuwählen, und wenn sie dann noch Kraft haben, kommen Klavier-, Gitarren- oder Geigenlehrer sowie Judo-, Aikido-, Yoga- und Schachtrainer ins Haus und formen aus Kindern Großmeister. Nie mehr müssen die Eltern ihre Kinder zur Musikschule oder in den Sportverein bringen, nie mehr müssen sie aufpassen, dass Claudius oder Heather üben – das wird alles bei Phorms erledigt. Selbst Scheitern ist im Konzept berücksichtigt. Hier bleibt niemand sitzen, hier wird das »Reifung« genannt.

Ich merke, wie ich sauer werde. Wie das realsozialistisch konditionierte DDR-Bürgerlein in mir wach wird. Muss das denn sein, quengelt es sauertöpfisch – der ganze Luxus, das Anspruchsvolle und Elitäre? Geht's nicht auch eine Nummer kleiner? Es brodelt in mir, und es dauert eine ganze Weile, bis ich klar erkenne, was da in mir vorgeht. Ich bin neidisch, ja. Weil ich hier, in der kühlen Aula der Privaten Phorms-Schule, sehr eindrücklich vor Augen geführt bekomme, wie gut Schule sein kann. Aber eben nur für die, die es sich leisten können. Und weil ich weiß, wie meine eigenen Kinder Schule erlebt haben. Nämlich als Angelegenheit, die so gut und unbeschadet wie möglich hinter sich bringen sollte.

In der Grundschule fing es an. Da besuchten beide Kinder eine Einrichtung, die von bösen alten Frauen regiert wurde. Eine von ihnen, die Klassenlehrerin meiner großen Tochter, brachte es fertig, ihren Schülern zu erklären, dass sie ihre Herpes von den dreißig kleinen Scheißern in den Schulbänken hätte, die sich nicht ausreichend waschen würden, weshalb sie sich Tag für Tag ekeln müsse. Beim Elterngespräch trafen wir dann auf eine Frau, die von Erscheinungsbild und Sprachgebrauch her eher den Eindruck machte, die Putzfrau dieser Schule zu sein, und die uns in zwanzig Minuten in schönstem Brandenburgisch darlegte, was sie alles nicht bereit war zu tun: Klassenfahrt, Nachhilfe, Förderunterricht.

Derlei Erfahrungen vergisst und verzeiht man nie. Es sind Geschichten, die später alle guten Erinnerungen überlagern werden. Geschichten von Pädagogen, die das Beste, was man hat, miserabel behandeln: die Kinder.

Wir nahmen die beiden da raus und brachten sie fortan täglich mit dem Auto in eine vier Kilometer entfernte Dorfschule. Fünfzehn Kinder in der Klasse, Wandertage zum nächsten Fischteich, selbst gekochtes Mittagessen, eine gute Hortnerin – das Leben konnte so einfach sein. Aber dann hieß es wieder wechseln. Gymnasium! Ein Respektswort, das einen Ort bezeichnete, der so tat, als sei er was für bildungshungrige Pubertierende, sich aber schließlich doch als stinknormale Schule herausstellte, in der in all den Jahren nie etwas reibungslos funktionierte. Dauerkranke Lehrer, dreckige Klos, eine kaputte Turnhalle, fehlende Lernmaterialien, resignierte, zynische Pädagogen, die seit dreißig Jahren stur denselben Stoff in derselben Darreichungsform anboten. In der Zwischenzeit konnte ihr Staat aufgelöst worden sein oder einer ihrer Schüler sich vor den Zug geworfen haben – die Osmose wollte erklärt sein, egal ob sie gerade wichtig war oder überhaupt begriffen wurde.

Es existiert ein Zeugnis, auf dem meiner Tochter bescheinigt wird, dass sie im neunten Schuljahr weder in Geschichte noch im Fach Politische Bildung benotet werden konnte, weil der dazugehörige Lehrer komplett gefehlt hat. Kein Ersatzlehrer war aufzutreiben gewesen, keine zeitweise Vertretung, kein Konzept, diesem Mangel beizukommen. Eine Draußen-nur-Kännchen-Mentalität von Leuten, die mit Menschen arbeiten und so tun, als zählten sie Schrauben.

Inzwischen ist eine meiner Töchter durch diese Maschinerie durch, die andere sieht einem gnädigen Ende entgegen. Und selbst wenn sie das versemmeln würde, bliebe ich ganz ruhig. All die unsicheren, quälenden Schulkarrierejahre haben aus mir eine Mutter in Duldungsstarre gemacht, die einfach hofft, dass es vorbeigehen möge. Und wenn ich dann in der privaten Phorms-Schule sitze und Frau Schwarz-Rot darüber reden höre, wie spannend, geil und einzigartig das hier für die betuchten Kinder werden kann, dann werde ich schon ein bisschen missmutig.

Aber dann ist sie fertig mit ihrem Vortrag, und tatsächlich kommt Heather und nimmt mich mit. Sie soll Eltern wie mir mal die Schule zeigen. Heather ist zwölf und spindeldünn, sie und ihre kleine Schwester werden jeden Morgen von Mama aus Schmargendorf hierher chauffiert. Mama arbeitet im Ministerium. Heather liebt ihre Schule. Sie zeigt den Kunstraum, die riesige neue Basketballhalle. Sogar den freudlosen Schulhof lobt sie in den höchsten Tönen. Es fällt mir schwer zu begreifen, dass dieses Mädchen Spaß daran hat, zur Schule zu gehen. Ich bin sicher, wenn Mamas Volvo mal kaputt ist, nimmt sie auch morgens um sieben klaglos die U-Bahn, um hierherzukommen, so schön und wichtig ist das hier für sie. Du hast's gut, Heather, denke ich, jetzt müssten nur noch alle anderen Kinder so eine dolle Schule hingestellt bekommen. Dann würde vielleicht auch endlich mal dieses verdammte DDR-Bürgerlein in meinem Kopf die Klappe halten.

Die Privatschulmutter oder Simon weiß nicht, dass das Geld kostet

Es ist laut in diesem französischen Café und sehr gemütlich, wir beide verstehen uns auf Anhieb gut. Die Privatschulmutter ist Journalistin, wir hatten uns auf einer Geburtstagsparty kennengelernt. Als sie hörte, worüber ich schreibe, wollte sie sich gern mit mir treffen. Weil sie, wie sie sagt, sehr gute Gründe hat, ihren Sohn auf eine teure Privatschule zu schicken. Wir bestellen Café au lait, Quiche und Salat, und dann erzählt sie.

Seit unserer Trennung vor sechs Jahren sind mein Mann und ich bessere Eltern geworden, komisch oder? Wir kriegen das inzwischen richtig gut hin mit unserem Kind. Dass Simon eine Privatschule besuchen soll, haben wir natürlich gemeinsam entschieden. Das war schließlich auch eine finanzielle Frage, 300 Euro kostet die Schule pro Monat – noch. In der fünften wird das Schulgeld erhöht, und später noch einmal in der siebenten Klasse. Dann werden wir Simon vermutlich rausnehmen müssen. Jeden Monat so viel Geld wie Miete für meine Wohnung zu zahlen, das kann ich mir irgendwann nicht mehr leisten, und das, obwohl das Schulgeld einkommensabhängig gestaffelt ist, ich also im Vergleich zu anderen Familien wenig bezahle.

Simon ist jetzt in der dritten Klasse, er geht sehr gern in diese Schule. Ich weiß, was da für Vorurteile kursieren. Reiche-Leute-Kinder werden in diesen Privatschulen in eine Art Bildungshochsicherheitstrakt gesteckt, damit sie unter sich bleiben können; am Ende kommen Egomonster raus, die nichts wissen von Armut, Umwelt- und Glo-

balisierungsthemen, aber dafür drei Sprachen sprechen und Sozialversager sind. Um das mal klarzustellen: Ich bin nicht reich, aber ich habe sehr gute Gründe gehabt, mich für diese Schule zu entscheiden: Simons Zweisprachigkeit und – das vor allem – die Ganztagsbetreuung.

Als wir noch zusammen waren, haben mein Mann und ich mit Simon in den USA gelebt, wir haben als Projektberater für eine Non-profit-Organisation gearbeitet. Simon hat von Geburt an Englisch und Deutsch gesprochen. Aber irgendwann haben wir uns eben getrennt, und als wir nach Deutschland zurückgekommen sind, haben wir eine bilinguale Ganztagsschule gesucht. Wir wollten, dass Simon weiter Englisch sprechen kann und dass wir beide arbeiten können. So etwas gibt es in Deutschland aber nur, wenn man dafür bezahlt. Das ist absurd.

So gut wie Simons sollten eigentlich alle Schulen organisiert sein, jedes, wirklich jedes Kind müsste in so eine Schule, so einen Hort gehen können. Das wäre gerecht. Aber so ist es eben nicht, und deshalb war ich sehr froh, als Simon dort einen Platz bekommen hat. In den 300 Euro ist alles enthalten: der Unterricht, die Bücher und Schulmaterialien, das Essen und das Nachmittagsprogramm. Um acht öffnet die Morgenbetreuung, um neun geht der Unterricht los, um halb drei endet er, danach beginnt das Nachmittagsprogramm, das geht bis achtzehn Uhr. Es wird so vieles angeboten: Sport, Musik, Sprachen … ja, auch Mandarin. Hab ich schon gehört, dass darüber Witze gemacht werden, aber das gibt's tatsächlich.

Simon spielt Fußball und trainiert Judo, außerdem ist er in der Koch-Arbeitsgemeinschaft und beim Werken, also Basteln und Bauen. Ich weiß, das ist 'ne Menge, aber es macht ihm Spaß, und ich bin so froh, dass die das da anbieten. Ich bin nämlich alles andere als eine Hockey Mom, die sich nichts Schöneres denken kann, als ihr Kind ständig herumzufahren. Ich habe einen Sohn, den ich liebe, und einen Job, der mir Spaß macht, und dank der gut organisierten Schule kriege ich beides hin. Neulich habe ich ihn abgeholt, da hatten sie in der Koch-AG noch was übrig und haben mich eingeladen. Es gab Soufflé und Chocolat. Na, dachte ich, ein Rührei mit Schnittlauch hätte es wohl auch getan – aber dann haben sie mir die Schokolade kredenzt, und die war spitzenmäßig mit Vanille und Zimt und Sahne und so weiter. Einfach großartig! So etwas ist doch toll, oder?

Natürlich gibt es auch einiges, was mich nervt, ganz gewaltig sogar. Eine Sache ist die exzessive Kommunikation seitens der Schule. Du lieber Himmel, was ich da jeden Tag an Mails und Anrufen bekomme! Und dann geht es meist nur um Kleinigkeiten: dass eine Unterrichtsstunde von einem anderen Lehrer gegeben wird oder dass Fußball heute ausfällt. Gut möglich, dass andere Eltern ständig über solche Sachen informiert werden wollen, aber mir stockt jedes Mal das Herz, wenn ich auf dem Handydisplay die Schulnummer sehe. Ich denke dann, Simon ist was passiert, und dabei ist gar nichts.

Eine andere Sache ist, dass man nicht ausscheren darf, wenn man erst mal drin ist. Die Kinder dürfen zum Beispiel kein eigenes Spielzeug mitbringen – es gibt ja ausreichend Spielzeug für alle. Das kann für einen Fünfjährigen ganz schön hart sein, wenn er seinen Teddy rausrücken muss, weil alle gleich sein, sich untereinander nicht vergleichen sollen. Es ist auch verboten, iPho-

nes mitzubringen. Ja, »iPhones«, so stand das in der E-Mail an die Eltern – als gebe es keine anderen Handymarken als diese. Oder die Schulkleidung. Die Schule hat bestimmte Farben, in denen die Kinder kommen sollen: Blau, Rot und Grau. Man kann die Kleidung über die Schule bestellen, aber ich kaufe bei H&M Poloshirts, Pullover und Kapuzenshirts und bügele dann das Schullogo auf.

Kürzlich war Sportfest, da rief mich Simon unter Tränen an und schluchzte: »Hol mich ab, ich darf nicht mitmachen. Du hast mir eine grüne Hose eingepackt, Mama!« Ich sagte ihm, dass er selbstverständlich mitmachen darf und dass er mir jetzt bitte mal seine Lehrerin ans Telefon holen soll. Da war ich echt sauer. Das ist so eine blöde Art, über die Kinder mit den Eltern zu kommunizieren, uns ein schlechtes Gewissen zu machen.

So funktioniert das auch mit der schulinternen Verbotsliste für die Pausensnacks. Anfangs habe ich Simon morgens eingepackt, was der Kühlschrank eben so hergibt. Aber dann haben alle Eltern eine E-Mail bekommen, in der stand, was gar nicht geht. Süßes und Ungesundes natürlich, denn wenn die Kinder in der Schule lernen, wie man sich richtig ernährt, und dann zieht so ein Simon seinen Schokoriegel aus der Tasche, ist das kontraproduktiv. Das sehe ich ein. Aber neulich hat eine Lehrerin ihm gesagt, sein Joghurt mit Himbeermousse sei nicht in Ordnung, das sei Industriefutter, und wenn er ein kluger Junge sei, würde er das überhaupt nie essen – das könne er auch mal der Mama sagen. So etwas finde ich unmöglich, weil da auf Kosten der Kinder die Eltern kritisiert werden, an die man sich aber nicht rantraut. Es stört mich vor allem, weil man durch hunderte kleine Verbote hunderte kleine Klugscheißer heranzieht, die ihre Umwelt gern darüber in Kenntnis setzen, dass Rauchen tödlich ist oder Industriewurst krank macht. Das nervt einfach.

Das wirklich Tolle an der Privatschule sind das gute pädagogische Konzept und die Möglichkeit für Eltern wie mich, sich mit Geld freizukaufen von diesen ganzen zeitraubenden Elternengagements. Also Kuchen backen, Feste dekorieren, Martinsumzüge organisieren – das sind alles Sachen, zu denen ich gern hinkomme und die ich genieße, für deren Vorbereitung ich aber echt keine Zeit habe. Dafür gibt es hier ausreichend Vollzeitmütter, die sich freuen, etwas zu tun zu haben, und im Porsche Cayenne die Bioplätzchen für den Kuchenbasar rankarren. Diesen Frauen bin ich wirklich dankbar.

Simon hat mittlerweile begriffen, dass er auf eine besondere Schule geht, er weiß aber nicht, dass sie Geld kostet. Anfangs hat er zu Fremden gern gesagt: »Du, ich bin auf 'ner englischen Schule!« Das hat sich aber gegeben. Inzwischen hat er sich darauf verlegt, anderer Leute Englisch zu korrigieren oder sich, etwa bei meiner sechzigjährigen Mutter, über ihre Aussprache oder Grammatik lustig zu machen. Na, da hab ich ihm aber Bescheid gegeben!

Wir, also mein Mann und ich, erfüllen das Klischee von den typischen Privatschuleltern eher nicht. Mein Mann kommt aus einer Bauernfamilie im Emsland, wir haben beide in der Entwicklungshilfe gearbeitet, und Simon sieht, wie viele Menschen wir auf der ganzen Welt kennen, wie offen wir sind. Wir wollen vermeiden, dass er sich selbst so einen blöden elitären Touch verpasst.

Inzwischen rede ich auch schon mal über Geld mit ihm. Seit Anfang dieses Jahres zum Beispiel liegt zu

Hause ein Fluch auf meinen elektrischen Geräten: Erst ging mein Rechner kaputt, dann die Spülmaschine, schließlich der Staubsauger und die Waschmaschine. Zuerst habe ich den Rechner reparieren lassen, damit verdiene ich ja das Geld, habe ich Simon erklärt. Dann habe ich eine gebrauchte Waschmaschine gekauft – ich bin so lange Jahre meines Lebens in Waschsalons gegangen, das ertrage ich einfach nicht mehr. Nun haben wir einen Besen statt des Staubsaugers. Und die Spülmaschine? Da weiß Simon jetzt genau Bescheid. Er macht das sehr gut mit dem Abwasch.

Es ist Mittag, alle Tische um uns herum sind von frühstückenden Hostelhorden belegt. Wir zahlen, und ich begleite sie noch bis zu ihrem Haus. Sie weist auf die Fenster ihrer Wohnung: dort oben, tolle Lage, guter Blick. Aber jetzt muss sie arbeiten, einen Artikel schreiben. Um die Miete zahlen zu können und Simons Schule.

Stille Tage im Kiez oder Wo ist zu Hause, Mama?

Seltsame Dinge ereignen sich im Prenzlauer Berg. Plötzlich gibt es freie Parkplätze, in den Cafés bleiben Stühle im Sonnenschein unbesetzt, und auf den Spielplätzen ist es ungewohnt still. Sogar die sonst so begehrten Schaukeln baumeln leer im Frühlingswind. Aufgrund fehlender Buggygeschwader sieht man plötzlich Menschen im Straßenbild, auf die sonst die Sicht verstellt ist: ganz normale Leute, die mit Einkaufstaschen statt Kindern an der Hand von der Arbeit kommen. Was ist passiert? Ah ja, es ostert. Die Zugereisten haben ihre Volvos und Saabs mit Kindern und Taschen bepackt und sind »nach Hause« gefahren.

Es ist ein im Kern unemanzipierter Vorgang, die Feiertage bei den Eltern zu verbringen. Wozu ist man einst aus der Heimat fortgezogen? Doch wohl um jede Menge Dinge zu erleben, von denen die eigenen Eltern niemals erfahren dürfen. Etwas Besseres als den Tod findet man allemal weit weg von daheim. Gute und falsche Freunde, unbekannte Speisen, weiche Drogen, Sex und möglicherweise tatsächlich jemanden, mit dem man Kinder macht. Wenn die dann in der Welt sind, werden auch die hartgesottensten Selbstverleugner zu Renegaten ihrer selbst. Was zuvor des Teufels war – Mutti, Vati und die zurückgelassene Heimatstadt –, erfährt aufgrund von selbsterlebten Fortpflanzungsprozessen eine gefühlte Wiederauferstehung. Und wenn der beste Singlefreund kurz vor Weihnachten anruft und fragt: »Was macht ihr am Vierundzwanzigsten?«, dann flutscht einem schon mal dieser ungute Satz raus: »Weihnachten sind wir zu Hause.« Also bei Mutti.

Als meine Kinder kleiner waren, war es auch für uns eine Gesetzmäßigkeit, das Osterfest bei den Großeltern zu verbringen. Auch wir haben damals unseren Corsa vollgepackt mit Schokoeiern, Reisebett und Kinderkarre und sind aufgebrochen zu Ömchen und Öpchen. Vor Reiseantritt malten wir uns all die guten Speisen aus, die uns in der Heimat meines Mannes kredenzt werden würden, der damals noch mein Freund war. Er freute sich auf die langen Spaziergänge durchs ehemalige Revier und das irre Gefühl, mal wieder im alten Jugendbett zu schlafen. Aber wenn wir dort angekommen waren, verspürten wir recht bald sehr schnell und sehr intensiv den Wunsch, auf der Stelle wieder aufzubrechen. Nach Berlin.

Denn machen wir uns nichts vor: Feiertagsferien wie Ostern oder Weihnachten in Familie sind für alle Beteiligten eine echte Kraftprobe. Man begibt sich auf fremd gewordenes Terrain, wo längst andere Gesetzmäßigkeiten herrschen als die einer vierköpfigen Familie im Dauerstress. Allein die unzähligen gemeinsamen Mahlzeiten sind eine Herausforderung, die es anzunehmen gilt. War es in Berlin üblich, den Kindern morgens wortkarg eine Schüssel Cornflakes mit Milch hinzustellen, wurde bei den Großeltern jeder neue Tag mit einer Art Brunch eingeläutet. Flankierend wurden auch Lächeln und Konversation erwartet, also Dinge, die im normalen Alltag bei uns nicht vor elf Uhr stattfanden.

Kaum waren schließlich die gute Bauernwurst, der Lachs und Omas Marmelade abgetragen, ging es auch schon an die

Vorbereitungen fürs Mittagessen. Stand das dann auf dem Tisch, zeigte sich, wie gut – meist aber eher wie schlecht – die Tischsitten der Enkelkinder ausgeprägt waren. Die forderten Milchnudeln statt Tafelspitz. Ständig sprangen sie auf und krabbelten unter großem Hallo auf dem Boden herum, und wenn man nicht aufpasste, ergoss sich blitzschnell ein Orangensaftsee über Omas gute Tischdecke. Der Vater und ich zickten uns bei solchen Gelegenheiten ein bisschen an. Und die Großeltern warfen einander Blicke zu, denen unschwer zu entnehmen war, dass sie zwar das Verhalten der Kinder missbilligten – weitaus mehr jedoch unsere verdammt inkonsequente Kuschelpädagogik nach dem Motto »Sei jetzt mal lieb und bleib sitzen«. Dass es zu Hause in Berlin in solchen Situationen durchaus mal laut, mitunter auch sehr laut werden konnte, wussten die kritischen Altvorderen ja nicht.

Meine Eltern, die einst im Zuge einer gigantischen innerfamiliären Fortpflanzungswelle binnen zwei Jahren Großeltern von vier Enkelkindern geworden waren, hatten ihre eigene Methode, uns zu kommunizieren, was sie vom Verhalten der Kinder bei Tisch hielten. Tauchten wir im Viererpack bei ihnen zum Festtagsmahl auf, hielten sie zwar entspannt literweise Milchnudeln bereit. Aber sie hatten – wegen der Kinder – die Essecke mit Hilfe jeder Menge alter Küchenhandtücher in eine Art Katastrophenzone verwandelt. Die Tür zum Wohnzimmer, in der die neue Rolf-Benz-Couch stand, hatten sie gleich ganz zugeschlossen. Ihnen war egal, ob uns das irgendwie ungastlich erschien – sie gaben unumwunden zu, keine Lust auf Saftflecken und Babykotze auf ihren Möbeln zu haben. Ich fand das kinderdiskriminierend und hielt ihr Verhalten für eine anmaßende Art, meine pädagogischen Fähigkeiten in Zweifel zu ziehen.

Heute denke ich ungefähr so wie sie. Aber auch so zu handeln wie sie, bin ich noch nicht bereit. Wenn sich bei uns im grünen Vorort befreundete Familien aus der Stadt ankündigen, verschließe ich zwar schon mal die eine oder andere Tür und räume die Bollhagen-Vase oben ins Regal. Aber wenn dann die lieben Kleinen eingetroffen sind und es sich mit ihren handgesteppten dreckigen Sandalen auf meiner Leinencouch bequem machen, würde ich mir eher die Zunge abbeißen, als sie zu bitten, doch erst ihre Latschen auszuziehen und dann auf dem Sofa Ritterkämpfe auszutragen. Diese Toleranz verdankt sich wohl der schonungslosen Art, die meine Eltern einst meinen Kindern gegenüber an den Tag gelegt haben – so weit will ich es nie kommen lassen.

Die Einzige, die beinhart erwachsen ist und bleibt, ist Sibylle. Sie hat sich schon vor vielen Jahren mit ihrer Familie zerstritten und ist sich und ihrer Tochter deshalb selbst Familie. Zu Weihnachten und Ostern finden in ihrer Prenzlauer-Berg-Wohnung tagelange Festlichkeiten statt, zu denen alle kommen, die die Wo-ist-zu-Hause-Frage nicht so eindeutig beantworten können wie die mehrheitlich hier lebenden Vater-Mutter-Kind-Einheiten. Also Geschiedene, Verwaiste, Langzeitsolisten, Schwule, Lesben und – wenn ich keinen Quatsch rede – auch ich. Unvergessen ein Essen am ersten Weihnachtsfeiertag, bei dem an Sibylles Küchentisch zwölf Leute saßen, die sich vorher kaum kannten und die das Fest unter großem Getöse und Gegröhle begingen, wie sie es bei Mami und Papi so nie hinbekommen hätten. Wunderbar war das und sollte jedem Familienphobiker als psychosoziale Schnelltherapie verordnet werden.

Während nun also während der Ostertage der Prenzlauer Berg so kinderarm wie nie ist, nutze ich die Gelegenheit und gehe in eines der schönstgelegenen Cafés. Unter normalen Umständen, also im gentrifizierten Alltagsbetrieb, wäre an diesem sonnigen Tag kein Platz zu finden. Das Café, sehr ansprechend in einer verkehrsberuhigten Straße gelegen, ist normalerweise in einer Art Dauerausnahmezustand – so viele Eltern und ihre Kinder samt ihren Kinderwagen, großen und kleinen Fahrrädern blockieren hier sonst den Gehweg. Heute aber hat der Wirt eine Tafel auf die Straße gestellt: »Demeter-Milch günstig abzugeben. Nur 60 Cent pro Liter!« Auf Nachfrage stellt sich heraus, dass man wegen des schönen Wetters und des damit zu erwartenden Besucherandrangs Küche und Keller mit allen nur denkbaren guten Dingen gefüllt hatte: Kuchen, Kekse, gefärbte Eier, extra viel Joghurtmüsli. Aber dann ist keiner gekommen, und nun wird die Milch sauer, weil die lieben Zugezogenen über Ostern lieber fünfhundert Kilometer in die Heimat gefahren sind, statt die Eier in den räudigen innerstädtischen Grünanlagen zu verstecken.

»Ach«, sage ich zum Wirt und bezahle meinen Kaffee, »ist doch auch mal ganz schön, wenn die Kinder sich rar machen.« Und es stellt sich heraus, dass auch dieser Geschäftsmann die eingetretene Ruhe zu schätzen weiß. Am besten gefallen ihm die freien Parkplätze und die fehlende Sturzgefahr wegen umherkrabbelnder Babys. Scheiß auf die saure Milch!

Nach dem Osterwochenende wird es dann doch wieder voll im Bezirk. Im Wegwarte-Zimmer mit der dünnen Wand erschallt pünktlich um halb sieben das Kindergetöse des unbekannten Nachbarkindes, der Berufsverkehr zerreißt meinen letzten dünnen Traumfaden, und schon krawumst das Müllauto die Straße herauf. Es nimmt alles mit: den Schmutz und die ganze schöne Ruhe, die hier vier Tage lang geherrscht hat, als alle zu Hause waren.

Wir wohnen hier oder
Ostler im Widerstand

»Kapitalismus macht euch langweilig, hässlich und zu Faschisten!« steht auf dem Plakat. Jemand hat damit das Spielplatzschild überklebt, auf dem aufgeführt ist, wie man sich hier auf dem Kollwitzplatz zu verhalten hat. Aber die Botschaft errreicht ganz offensichtlich niemanden: In Reih und Glied stehen die Tausend-Euro-Buggys am Buddelkasten, die Mütter sind nicht hässlich, sie stecken sich die teure Tellersonnenbrille ins Haar, und die Väter ziehen den Bund ihrer G-Star-Jeans über den Bauchansatz. Kapitalismuskritik sieht wirklich anders aus.

Eine clevere Gymnasiastin zeigt den Flugblattschreibern gleich mal, was sie vom politischen System hält: offenbar eine ganze Menge. Denn direkt unter das Plakat hat sie ihr Angebot gepinnt, gegen Geld auf die Projektkinder hier am Platz aufzupassen. Dafür, dass Kapitalismus faschistoid sein soll, ist ihre Bewerbung als Babysitterin sehr charmant und professionell: »Gern lasse ich meiner Kreativität freien Lauf«, schreibt die Neunzehnjährige, »ich bastele, singe oder erkunde mit meinen Schützlingen die Natur. Dabei lasse ich mir nicht auf der Nase herumtanzen, bin aber für Schabernack zu haben.«

Um den Platz dieser jungen Prenzlauer Bergerin im kapitalistischen System muss man sich wohl keine Sorgen machen. Denn das ist exakt die Sprache, die die neuen Eltern hier verstehen. Maßvoller Spaß – ja, Ausflippen – sicher nicht. Da braucht es Babysitter, die – gerade volljährig – das muttieske Wort »Schabernack« zu ihrem Wortschatz zählen.

Es gibt eine Menge Nachrichten, die sich an Gäste und Zugezogene richten. Verfasst und gesendet werden sie von jenen, denen ihr Viertel längst zu aufgeräumt, zu familiendiktatorisch, zu windschnittig geworden ist. Auf Werbepostern für Yogastudios prangen neuerdings Sticker: »Fuck Yoga!« Die Facebook-Seite vom Hemholtzplatz startet mit der Botschaft: »I'm not a tourist. I live here.« Und in den dicken Schaufensterscheiben des LPG-Biosupermarktes hat der Glaser erst kürzlich die Einschusslöcher mit rotem Tape markiert. Seit Jahren tauchen im Bezirk zu traditionellen Feiertagen Plakate auf, die die zugezogenen Edel-Eltern recht unverblümt auffordern, sich zu trollen. Es begann an Weihnachten 2006. Damals prangte an Mauern und Trafohäuschen Gelb auf Schwarz folgende Botschaft: »OSTBERLIN WÜNSCHT EINE GUTE HEIMFAHRT!« Dazu hatten die letzten Kapitalismuskritiker vom Prenzlauer Berg die Reiseziele geschrieben, wohin die Edel-Eltern über die Feiertage aufbrechen sollten: »Erlangen 430 Kilometer, Koblenz 580, Stuttgart-Sindelfingen 610 Kilometer.«

Das war nicht gerade nett. Man fragte sich, ob man die Plakate unter Berliner Humor verbuchen sollte, der ja bekanntlich recht wurschtig sein kann, oder unter Fremdenfeindlichkeit. Dass die lokale Presse ausgiebig darüber berichtete, war ein untrügliches Zeichen dafür, dass die Verdrängung der alteingesessenen Ostberliner durch Zugezogene ein virulentes Thema darstellt. Nach dem Motto: Endlich sagt's mal einer.

Also ein einmaliger Ausrutscher? Nein, zu Weihnachten

2007 hielten die klassenkämpferischen Kreativen vom Prenzlauer Berg erneut eine Botschaft für ihre westdeutschen Mitbürger bereit. An den Fenstern von Restaurants und Kneipen hingen Zettel folgenden Inhalts: »Liebe Gäste, ihr fahrt alle nach Hause zum Gänsebratenessen, und deshalb machen wir vom 21. bis 26. Dezember zu.« Man hätte meinen können, diese nicht unübliche Ankündigung der örtlichen Gastronomie sei es schon gewesen. Aber nein, unter der Nachricht prangte erneut eine Weihnachtsbotschaft: »OSTBERLIN WÜNSCHT EINEN GUTEN APPETIT. WEIHNACHTEN 2007 – DIE TAGE DER BEFREIUNG!«

Uijuijui, da war aber was los. Die erneute unfreundliche Aufforderung, das Gelände zwecks Familienzusammenführung in der Heimat zu räumen und den Bezirk wenigstens über die Festtage seinen Ureinwohnern zu überlassen, war der sichere Hinweis darauf, dass da offensichtlich jemand vorhatte, am Thema dranzubleiben. Und möglicherweise handelte es sich dabei ja sogar um mehrere Personen, die hier einen auf aggressive Ostberliner machten?

Man möchte nicht in den so Angesprochenen dringesteckt haben. Den Schwaben und Bayern, den Eingeheirateten und Angeheuerten. Was sollten sie denn machen? Den Umzugswagen rufen und ihren schönen kinderfreundlichen Bezirk verlassen?

Ich fühlte also mit den Neubürgern des Prenzlauer Bergs. Im Sommer drauf zierten frische Botschaften das Straßenbild: »NEUE MAUERN BRAUCHT DAS LAND. MÖRTEL CREW OSTBERLIN!« Zu sehen waren die Hochburgen der Macchiatomütter: der neu eröffnete Biosupermarkt, das angesagte Internetcafé St. Oberholz oder ein Krimskrams-Geschäft namens »Kauf dich glücklich«. Kundige Gestalter hatten die Fenster und Eingänge der fotografierten Häuser und Läden per Photoshop zugemauert. Um ehrlich zu sein, sah das ungefähr so aus wie der Prenzlauer Berg in den Achtzigerjahren. Da gab's hier gerade mal ein paar Konsum- und HO-Läden sowie zwar gemütliche, aber muffige Kneipen. Und das Bier für 51 Pfennig. Wollten diese Plakatkleber wirklich den Osten zurück, wieder Rosenthaler Kadarka und Berliner Pilsner in düsteren Parterrewohnungen trinken, während das Klo auf halber Treppe wieder mal eingefroren ist und der Braunkohleofen seinen üblen Gestank verbreitet?

Ich verabrede mich mit einem der Plakatisten. Aus gutem Grund möchte er anonym bleiben, die Aktionen sind ja nicht nur Beleidigungen, sondern auch Sachbeschädigungen. Die Vorstellung, wegen einer beklebten Fassade von einem dieser Immobilienheinis aus dem Westen auch noch angezeigt zu werden, schreckt ihn. Es stellt sich heraus, dass dieser Mann keineswegs giftig und humorfrei ist, sondern insgesamt ausgesprochen sympathisch und klug. Er, der hier im Prenzlauer Berg aufgewachsen ist und einen großartigen Ostberliner Dialekt spricht, war zur Wendezeit im vollrebellischen Alter, nämlich achtzehn Jahre alt. Er erlebte damals also nicht nur, dass es plötzlich schönere Schuhe zu kaufen und Milka-Schokolade für alle gab. Sondern auch, wie sein alles in allem geruhsamer Heimatbezirk sich plötzlich mit Menschen füllte, die zwar zuerst in friedlicher, amüsierwilliger Absicht gekommen waren, schließlich aber doch den Ostlern die Wohnungen unter dem Hintern wegkauften, die Straßen mit Papis Saab zuparkten und in den noch wenigen Kneipen und Cafés unbekannte Sachen wie Minestrone, Becks-Bier oder Laugenbrezeln zu etablieren versuchten. Er erlebte, wie sein Abitur plötzlich als zweitklassig galt, wie die Jobs seiner Eltern wegbrachen und Oma und Opa in Frührente geschickt wurden. Aus seiner Kaufhalle ist ein Einkaufsparadies geworden. Aus den verwunschenen Dachböden Lofts, aus Mietern Eigentümer, aus Freiflächen Baulücken, aus Kindern Prestigeprojekte, aus Bäckereien Backshops, aus Erdgeschosswohnungen Agenturen … Und deshalb haben er und seine Freunde sich diese Plakataktionen einfallen lassen. Sollten die Westler ruhig mal mitkriegen, dass sie noch nicht vollends gewonnen hatten.

Im Herbst 2009, zum sechzigsten Gründungstag der Bundesrepublik Deutschland, klebten sie eines, auf dem der jubelnde Fußballer Jürgen Sparwasser zu sehen war. Einst, bei der Weltmeisterschaft 1974, schoss der Mann das legendäre Siegtor der DDR-Auswahl gegen die Fußballnationalmannschaft der BRD. Der Text der Plakatisten lautete: »60 JAHRE BRD UND WIR FEIERN MIT. HERZLICHEN GLÜCKWUNSCH! 35 JAHRE JÜRGEN SPARWASSER!« Das war im Vergleich zu den Vorjahren nett, ja geradezu sportlich fair. Keiner regte sich so richtig auf, niemand hörte die Signale der Ostalgiker, keiner der Angesprochenen machte sich auf den Rückweg Richtung Westen.

Also zogen sie bei ihrer nächsten Aktion die Zügel wieder straffer. Es wurde herbstlicher, die Klamottenläden verkauften schon die ersten Kindermuffs aus Biolammfell, und die Einheitsfeierlichkeiten zum zwanzigsten Mauerfalljubiläum rauschten durch Berlin, als die Plakatisten ihre aktuelle Botschaft klebten: »WIR SIND EIN VOLK! UND IHR SEID EIN ANDERES. OSTBERLIN, 9. NOVEMBER 2009«. Verdammt unhöflich. Und noch immer ein ganzes Stück weit von dem entfernt, was heute an die Wände der eierschalefarbenen sanierten Häuser gesprüht wird. »Tötet Schwaben!« zum Beispiel. Oder »Alle raus zur Kiezmiliz«. Selbst ich als angelernte Brandenburgerin, die Intoleranz und Fremdenfeindlichkeit kennengelernt hat, finde das unmöglich. Da schwingt ein Ton durch

Ostberlins Straßen, der mir ebenso wenig behagt wie jene Raffke-Botschaft an die alten Ostberliner: »Ihr habt die Häuser besetzt – wir besitzen sie!«

Mein Plakatist und seine Freunde sind ruhiger geworden. Sie haben Jobs, sie haben Sorgen, Kinder, erwachsene Leben im kapitalistischen System. Sie haben ja immer noch Ostberlin – auch wenn sie ihren Prenzlauer Berg nun mit anderen Familien teilen müssen. Aber sie haben auch immer noch eine Menge Ideen für neue Plakate.

Kirsten hat die Mamicard oder Weg mit dem Plunder

Ich möchte nicht ungesellig sein, auch keine Spielverderberin. Aber es gibt ein Produkt für Eltern, von dem ich einfach nicht glauben kann, dass es jemand tatsächlich kauft und dann auch noch benutzt. Dieses Ding ist die Mamicard. Erfunden haben es trendbewusste und geschäftstüchtige Unternehmer aus der an Ideen ja nie armen Werbebranche, die ernsthaft glauben, dass Eltern für jeden Unsinn zu haben sind und über ausreichend Bares verfügen, um eben diesen Unsinn auch noch zu erwerben.

Die Mamicard geht so: Kirsten und Michael bekommen ein Kind. Bald fängt die kleine Camilla an zu krabbeln, sie strebt nach draußen Richtung Spielplatz. Dort setzt sich Kirsten mit Camilla in den Buddelkasten, und schon bald gesellt sich ein kleiner Claudius samt seiner Mutter Anne dazu. Die Kinder wälzen sich fröhlich im Sand, und die Frauen kommen ins Gespräch. Es geht um Beikost und Windelservice, um Kitaplatz und Rückbildungsgymnastik – tatsächlich verstehen sich die Frauen gut, einem Wiedersehen steht also nichts im Wege. Sie müssten nur die Handynummern austauschen und sich recht bald zusammentelefonieren.

Aber was tut Kirsten? Sie nestelt aus ihrer Tasche eine Mamicard hervor und überreicht sie Anne. Auf der Karte steht: »Kirsten, Mama von Camilla«. Und weil die Karte zwei Seiten hat, hat sie hinten auch noch was draufdrucken lassen: nämlich ihre Handynummer sowie ein paar Basisinformationen über Camilla. Wann sie geboren ist, dass sie Panflötenmusik mag und eine Glutenallergie hat. Wenn Anne schlau ist, nimmt sie die Karte entgegen, zeigt sie abends grinsend ihrem Mann und ruft Kirsten niemals an. Eine Mutter mit einem derartigen Schuss möchte man ja nicht zur Freundin haben.

Es sind Dinge wie diese Mamicard, die den ohnehin leicht angekratzten Ruf der konsumfreudigen Macchiatomutter endgültig zu ruinieren drohen. Doch die Idee dahinter ist so perfide und diskriminierend, dass man die Bundesgleichstellungsbeauftragte darüber ins Bild setzen sollte. Da sitzt eine Frau mit Abitur und einem interessanten Beruf auf dem Buddelkastenrand, die nun zu ihrem großen Glück auch noch ein Baby bekommen hat. Und diese windigen Werber degradieren die Frau zu einem Muttertier ohne Nachnamen, das sich einzig und allein über die Fähigkeit zu gebären definieren soll? Das ist nicht nur lächerlich, sondern auch mittelalterlich. Die kluge, studierte Mutter würde sagen: voremanzipatorisch.

Es gibt jede Menge unnützen Kram, der Frauen angedient wird. Gedankliche Grundlage dieser Produkte ist die Annahme, dass Frauen bei der Geburt ihren Verstand verlieren, aber immer noch so beisammen sind, dass sie ihre Kreditkarte ziehen können. Ein Beispiel? Die Firma Bellybutton verkauft das Geburtsgeschenk »Hope«. Für 19 Euro gelangt man in den Besitz eines winzigen runden Holznäpfchens, das man, so der Werbetext, »mit guten Taten, Gedanken und glücklichen Erfahrungen« füllen kann. Es ist auch schon was drin – nämlich ein rotes Bändchen, das »von Mönchen in Tibet in einem dreitägigen Ritual gesegnet wurde«. Ja, ich sehe es direkt vor mir, wie die Mönche ein paar Extraschichten eingeschoben haben, um rote Bändchen zu besingen, die dann in Europas Kruschtelkästchen landen.

Auch schön ist ein Poster aus demselben Haus, das unter der Überschrift »Wir glauben an Kinder« »wunderschöne Statements« zu diesem Thema zusammenfasst, die in ihrer heterosexuellen Normativität und Vater-Mutter-Kind-Spießigkeit kaum zu übertreffen sind. Es fängt relativ harmlos an mit »Wir glauben an Kinderlachen«. Nun gut, dagegen ließe sich schwer etwas einwenden. Aber dann: »Wir glauben, ein Kinderwagen ist das schickste Fashion Accessoire. Wir glauben an Teilzeitkarrieren. Wir glauben, jeder sollte eine Familie haben. Wir glauben, Geld ist wichtig.« Ein strukturkonservatives Mantra, das man sich gerahmt an die Wand hängen kann. Offen gesagt glaube ich, dass die Mönche im tibetischen Hochland auf keinen Fall bereit gewesen wären, auch für diesen Gesinnungsquark eine Nachtschicht einzulegen.

Es gibt so viel unnützen Plunder, der aus Müttern Kundinnen zu machen versucht. Die Idee dahinter: Das Beste ist gerade gut genug. Und vom Besten dann aber bitte auch alles. Es gibt zum Beispiel die japanische Spieldeckentasche für 50 Euro, mit der laut Werbung Mütter von ihren Geschlechtsgenossinnen die begeisterte Frage ernten »Wow, wo hast du die denn her?«. Es gibt Schnullerketten zu 9 Euro, auf denen »Small people for peace« steht. Oder äußerst unhandliche Holzstifte aus dem Schwarzwald, die gut aussehen und nur 14 Euro kosten. Schwangere werden gedrängt, sich eine Satinschärpe über den gewölbten Bauch zu legen, auf der »MOM« steht, oder ein Ulmenholzbettchen für 500 Euro zu erwerben, das aussieht wie ein fahrbarer Sarg.

Und es gibt Fresco. Was klingt wie ein Hundefuttername,

ist in Wirklichkeit ein Hochstuhl für Kinder. Er sieht aus wie ein sehr kleiner Friseurstuhl, hat aber Neigetechnik und jede Menge anderen Hightech-Schnickschnack, wächst mit und kostet 390 Euro. Hallo!? Dreihundertneunzig? Für einen Stuhl? Dafür gibt's doch bei Ikea schon eine ganze Couch. Und am Ende hasst das Kleinkind seinen Designerthron und möchte nichts lieber, als auf Omas alter Fußbank sitzen. Man kennt das ja.

Als wir einst unsere Zelte im Prenzlauer Berg abbrachen, um in unser kleines Umlandhäuschen zu ziehen, standen auch wir vor einem riesigen Berg an Kinderplunder, den die Omas, die Zeitläufte und die Trends in unser Leben gespült hatten. Zahllose Mobiles aus Plastik, die nur noch ganz leise Mozarts Kleine Nachtmusik fiepten; abgeranzte Barbie-Pferde, deren güldene Mähnen von kundiger Kinderhand gestutzt worden waren; diverse aufblasbare Planschbecken und Bälle, die wir als Städter nie benutzt hatten; farbenfrohe Spielgeräte oder auch nur deren Einzelteile, über deren Gebrauchswert wir lange rätseln mussten. Wir hielten uns nicht lange auf und schmissen den ganzen Plunder weg. Hätten wir damals Mamicards besessen, hätten wir diese Zeugnisse der Mutterpeinlichkeit vermutlich in einem rituellen Feuerchen auf dem Gasherd verbrannt.

Alles, was wir brauchten und deshalb auch mit aufs Land nahmen, waren zwei wichtige Teddys, die Triptrapstühle, sämtliches Buddelzeug und natürlich Lego, Duplo und Playmobil. Die waren so verdammt teuer gewesen. Ungefähr so teuer wie heute die japanische Krabbeldecke oder das gesegnete Mönchsbändchen. Im neuen Haus angekommen, stellte sich schnell heraus, dass die Kinder keine Lust mehr hatten, damit weiträumig ihre Zimmer zuzubauen. Wir packten die teuren Bausteine in Eimern auf den Dachboden, und da warten sie nun – tja, worauf? Dass meine Kinder mal Kinder kriegen? Geb's Gott, dass das noch lange dauern möge. Und wenn, dann kriegen sie von mir Omicards geschenkt. Die können meine Töchter dann verteilen, wenn sie mich im Rollstuhl durch den Park schieben. Da steht dann drauf: Hanna, Tochter von Anja. Und hinten lasse ich draufdrucken, dass ich alt bin, streitsüchtig und auf ein Spenderherz warte.

Die kleine Lady oder Sokrates für Achtjährige

»Würdest du mir bitte mal den Pastetenteller reichen?«, fragt die kleine Lady. Ich tue wie geheißen. »Danke«, sagt sie, »das Entenconfit ist ja leider alle, aber so ein einfaches Rillette tut es für heute auch.« Beherzt greift die Kleine zu. Zwischen Käse- und Pastetenhäppchen spült sie brav mit etwas Evian nach, und die Baguette-Krümelchen in ihren zartrosa Mundwinkeln wischt sie beherzt mit dem roten Pulloverärmel weg.

Die kleine Lady ist acht Jahre alt. Sie ist ein ganz und gar wunderbares Kind, munter, gewitzt, von properer Körperlichkeit. Sie isst halt gern. Und gut. Ihre Mutter ist eine begnadete Köchin, die hier, in ihrer Altbauküche, eine große Wärme und Gastlichkeit verbreitet. Sie steht am Herd, schnippelt und rührt und redet, sie bestreicht kleine Sandwiches als Vorspeise, während im Rohr das Biofleisch bei hundert Grad seiner Bestimmung entgegensummt. Die kochende Mutter sieht, wo der Wein fehlt, bevor der Gast selbst es bemerkt hat, und sie pflegt eine erfrischende Konversation bei Tisch. Kein Wunder also, dass die kleine Lady weiß, wie ein gutes Olivenöl zu schmecken hat, was ein gelungener Abend ist oder dass sie in ihrem zarten Alter Spaß am Verzehr Grüner-Mandel-Tapenade findet.

Wir sitzen also da und reden und spachteln, der gute Wein

fährt in die Köpfe, das feine Essen macht die Beine schwer, die kleine Lady, einziges Kind in unserer Runde, nippt am Wasserglas und unterhält mit Schnurren. Nebenbei malt sie auf Vaters iPad ein paar ganz raffinierte Bilder mit Zauberblumen und Pferden, die »Shut up!« wiehern. Es ist einer jener großartigen Momente purer Freude am Nachwuchs. Kinder, denke ich, sind so was Großartiges. Was für ein Glück, wenn sie gesund sind. Und was für ein grandioses Leben wir mit ihnen führen ...

Die Eltern der kleinen Lady zum Beispiel tun eine ganze Menge dafür, dass ihre Tochter umfassend auf das Leben da draußen vorbereitet wird. Gut, ihre Wohnung ist recht klein, schließlich brauchen sie das Geld, um dem Kind die zweisprachige Privatschule zahlen zu können. Aber das ist auch schon alles an Einschränkung: ein bisschen weniger Platz als die Lofthouse-Angeber-Familien in der Nachbarschaft. Dafür jede Menge Spaß für eine dreiköpfige Familie, in der das Kind mit allem ausgestattet ist, was Erwachsene mögen: Intelligenz, Schönheit und – wichtig! – Humor. Als die kleine Lady neulich im Linolschnittverfahren ihre Katze besonders lebensecht porträtiert hatte, haben die Eltern das Kunstwerk in kleiner Auflage als Postkarten drucken lassen – so begeistert waren sie vom Talent ihres Kindes. Nun überreicht die kleine Lady Besuchern beim Abschied den gelungenen Katzen-Druck.

Man sieht und spürt sie, die enge Vertrautheit zwischen Eltern und Kind. Es wird geschmust und sowohl in deutscher als auch englischer Sprache gescherzt. So wie ihr Vater liebt auch die Tochter den Dichter Erich Kästner – und unter großem Gegacker tragen beide gern Gästen die lustigsten Verse aus *Kästners Lyrischer Hausapotheke* vor. Und wenn die kleine Lady, nur mal zum Beispiel, einen Naturkunde-Workshop in der Schule hat, wird das Ganze von allen dreien,

Mutter, Vater und Kind, engagiert vorbereitet und mitgetragen. Im Fachhandel wird das nötige Equipment erworben, und nachmittags ist auf dem Spielplatz keine Grille mehr sicher vor der Botanisiertrommel aus Plastik, die die Kleine stets bei sich trägt. Aus der Bibliothek werden die Pflanzenbestimmungsbücher herbeigeschafft und abends vor dem Schlafengehen gemeinsam durchgeblättert. Im Grunde, dieser Eindruck drängt sich auf, sind sie drei beste Freunde, die nur ein paar Lebensjahre trennen, deren Erfahrungswelt aber gleich schön, groß und aufregend ist.

Erst heute hat die Familie wieder einen schönen Erfolg feiern dürfen. Die kleine Lady ist nämlich nicht nur klug und kregel, sie verfügt auch über ein besonderes Talent: als Judoka wirft sie kleine Mädchen ihrer Alters- und Gewichtsklasse gekonnt und mühelos auf die Tatami. Da macht ihr keiner was vor, schließlich hat sie bereits den gelben Gürtel und wurde prompt zur Berliner Schüler-Meisterschaft eingeladen. Heute Morgen war der Wettkampf. Die kleine Kämpferin und ihr Vater sind um sieben Uhr zur Sporthalle aufgebrochen, und weil die Ladymutter ausnahmsweise mal länger schlafen wollte, hat der Lord den – siegreichen – Kampf der kleinen Lady mit der Handy-Kamera aufgenommen.

Da sitzen wir nun alle bei Tisch: vier Erwachsene und ein Kind. Inzwischen ist der Braten aufgetragen, wir spachteln und schauen uns dabei ein paarmal hintereinander den Film an. Wie die kleine Judoka die Tatami betritt, wie sie und ihre nicht minder sympathische Gegnerin sich voreinander verbeugen, um anschließend brutal übereinander herzufallen. Es wird gehebelt und geworfen, ein großes Durcheinander von Armen, Beinen und Zöpfen – und am Ende des Gezappels ist die kleine Lady Meisterin in ihrer Altersklasse. Wahnsinn!

Dabei habe ihre Tochter kaum etwas getan für diesen Sieg, ergänzt beiläufig die Mutter. Nur die Drohung des Trainers, sie nicht am Wettkampf teilnehmen zu lassen, habe die Achtjährige bewegen können, in den letzten vier Wochen tatsächlich pünktlich zum Training zu gehen und an ihrer Wurftechnik zu arbeiten. »Was denn«, frage ich die kleine Lady und stupse sie in die Seite, »du gewinnst in einer Sportart, die du nicht mal richtig magst?« Die Angesprochene reagiert kaum, sie ist satt und müde und außerdem damit befasst, sich den Film noch einmal anzuschauen. Deshalb antwortet ihre Mutter für sie. »Naja, das Training ist immer montagnachmittags um fünf, weißt du. Ein ziemlich ungünstiger Termin, denn vorher hat sie im Hort noch Sokratisches Gespräch.«

Fast spucke ich den guten Rosé aufs Leinentischtuch vor Lachen. Zu irre ist der Gedanke, dass da mit mir am Tisch ein Kind sitzt, das mit seinen acht Jahren Dinge treibt, Denksportarten, der gehobenen Sorte, die ich gerade mal vom Hörensagen kenne. Sokratisches Gespräch ist eine Art Gruppenkommunikation, in der so lange gefragt und gegengefragt wird, bis alle einer Meinung sind. Also im Grunde so etwas wie eine SED-Parteiversammlung, nur dass nicht schon vorher das Ergebnis feststeht. Ich sage: »Das ist nicht euer Ernst – eine Achtjährige führt im Schulhort sokratische Gespräche?«

Die drei schauen mich irritiert an. Ich spüre, dass mir im Hinblick auf zeitgemäße, effektive Pädagogik irgendwas fehlt: Toleranz womöglich, höheres Verständnis, Coolness. Meine Töchter haben gebastelt im Hort, Kuchen gebacken oder Hopse gespielt. Und wenn ich Glück hatte, waren, wenn sie nach Hause kamen, die Schularbeiten gemacht und sie konnten entspannt die Simpsons gucken. Heute tun sie so etwas zwar auch, aber dafür heißt das jetzt Science-Workshop, Ernährungs-AG und Workout, und alles ist total nützlich und bildend. Selbst Hausaufgaben sind jetzt Exercises und werden im Team erledigt.

Ich habe die kleine Lady wirklich gern. Dieses Kind erfreut mein Herz mit seiner Neugierde, seiner Unverkrampftheit und Lebensfreude. Es ist bei ihm wirklich nullkommanix von Überforderung zu spüren, von Eiskunstlaufmutti-Wesen oder anderen Auswüchsen mitteleuropäischen Leistungsüberdrucks. Und doch macht es mich ganz nervös, dass ausgerechnet dieses betörende Zopfmädchen so perfekt ist. Und dass ihre Eltern, meine guten Freunde also, dieses Überangebot an guten Eigenschaften nicht irritiert. »Sokratisches Gespräch«, hake ich bei ihnen noch mal nach, »ist das nicht total kompliziert? Ich weiß nur, dass man da Fragen stellen muss – aber die müssen irgendwie ganz besonders formuliert sein, das habe ich ehrlich gesagt nie ganz verstanden.«

Es stellt sich heraus, dass weder Vater noch Mutter so genau wissen, was ihre Tochter da montagnachmittags tut. Und vor allem: wie sie es tut. Und während wir uns an unsere Philosophiekurse zu erinnern versuchen, hat die wunderbare kleine Lady den Kopf auf ihren roten Strickärmel gelegt und die Augen halb geschlossen. Gleich wird sie eingeschlafen sein, schon sehe ich einen kleinen Spucketropfen im zartrosa Mundwinkel quellen. Aber eins murmelt sie noch, bevor der Tag endgültig aus ist: »Jaaa Mann, ich kapier das ja auch immer nicht mit den blöden sokratischen Fragen da.« Und dann ist sie weg. Sehr beruhigend finde ich das übrigens, kleine Lady.

Das Vorführbaby oder Jeder sollte eins kaufen können

Die Welt steckt voller Wunder. Menschen begegnen einander, sie schauen sich tief in die Augen und tun möglicherweise Dinge miteinander, von denen hier nicht im Detail die Rede sein soll. Und bums! erleben sie das Wunder von Fortpflanzung und Geburt. Sie werden also Mutter oder Vater und als solche eine freudig erwartete Zielgruppe der ausdifferenzierten Konsumwelt kapitalistischen Zuschnitts. Doch es gibt auch Menschen, die an diesem Wunder nicht teilhaben, die keine Kinder wollen oder deren Kinder schon längst selbst erwachsen sind. Die Spaß am Leben haben und sich trotzdem nicht weiter fortpflanzen wollen. Die haben es nicht leicht im Prenzlauer Berg.

Freundin Christina zum Beispiel wohnt in einem Haus, das vom Erdgeschoss bis zum vierten Stock voller Kinder und Babys steckt. Im Hinterhof summt und greint und singt und weint es aus allen Fenstern, aus der Mülltonne müffeln die vollen Wegwerfwindeln, und der Hausflur ist verstopft mit all den teuren Kinderwagen, den Transporträdern, Fahrradanhängern, Bobbycars und Laufrädern. Wenn die kinderlose Christina morgens oder abends mit ihrem hübschen Hund Peter Gassi gehen will, hat sie Mühe, sich und das Tier unversehrt durch all das technische Equipment, die ein- und aussteigenden, ankommenden und abfahrenden Kinder, Mütter und Väter hindurchzulavieren. Klar, dass eine Störerin wie sie – mit einer vierbeinigen Bestie statt einem vorschriftsmäßigen Kind – dann böse Blicke erntet.

Manchmal, sagt Christina, überlegt sie schon, sich einfach einen gebrauchten Kinderwagen zu kaufen, die Regenplane drüberzuziehen und mit dem leeren Gefährt durch die Straßen des Prenzlauer Bergs zu ziehen. Dann könnte sie Peter an den Wagen binden, und keiner würde mehr misstrauisch gucken, was dieser jugendgefährdende Hund wohl vorhaben mag. Denn Peter wäre dann augenscheinlich das attraktive Mitglied einer normalen Familie, die sich beides leistet: ein Kind und einen besten vierbeinigen Freund für eben jenen kleinen Nachkommen.

Doch der Kapitalismus wäre nicht das überlegene System, für das er gern gehalten wird, hielte er nicht auch für Menschen wie Christina etwas bereit, durch dessen Kauf sie trotz fehlenden Nachwuchses zum sichtbaren Mitglied der Familienmehrheitsgesellschaft werden könnte. Die Rede ist vom Reborn-Baby. Das Reborn-Baby sieht aus wie ein Neugeborenes, es ist genauso schwer und liegt so weich wie ein kleiner Mehlsack im Arm. Es hat Haare und Wimpern, Nasenlöcher und schläfrige Augen, und dank eines Speziallacks glänzen seine Mundwinkel feucht wie vom Sabbern. Es schreit nicht und kackt nicht, es bockt nicht, hat nie Fieber oder Hunger – aber es duftet nach Puder und dieser trockenen Süße, die Babys so an sich haben. Das Reborn-Baby ist ein nahezu perfektes Fake-Kind für kinderlose Teilzeitmütter. Es ist weitaus perfekter als diese mottigen Kunstpuppen, die einsame Omas bei Shopping-Sendern kaufen und die einen manchmal unter ihren grusligen Kunstlocken hervor aus Parterrefenstern anstarren.

Reborn Babys kosten eine Menge Geld. Und es gibt tatsächlich Frauen, die solche Zeigekinder für 250 Euro käuflich erwerben. Ein Blick auf die Website der führenden Reborn-Meisterin Deutschlands mutet an wie ein Besuch in Frankensteins Labor. Die Puppen werden aus Bausätzen zusammengesetzt und so perfekt gestaltet, dass kaum jemand auf den ersten oder zweiten Blick vermuten wird, dass das kleine schlafende Ding da im Wagen gar nicht echt ist.

Baby Sophie zum Beispiel – 48 Zentimeter groß und bedenkliche 2450 Gramm leicht – wurde gleich nach ihrer Ankunft im Bausatzpaket »entfettet und schön gebadet«. Sie verfügt über Vinyl-Arme und -Beine sowie einen »Scheibengelenkkörper«, mit dem sie sich »gut an dich herankuscheln kann. Körper und Köpfchen wurden mit ungiftigen Materialien gewichtet, und vor allem findet man keine stacheligen Kabelbinder«. Ja Gott sei Dank, denkt man gerade, andere Babys sind ja doch eher stachelig, gut dass ich jetzt Sophie kaufen kann. Da geht es auch schon weiter mit Sophies Werkstattbericht: »Jedes Fältchen an mir wurde einzeln betont. Zarte Augenbrauen wurden mir gegeben. Meine Nase wurde geöffnet und hinterlegt, sodass ich jetzt gut Luft bekomme. Die zarte Befeuchtung von Augen, Mund und Nase lassen mich noch echter wirken.«

Im Weiteren berichtet Sophie von ihrem Friseurbesuch, bei dem ihr die dünnen Flaumhärchen »im Micro-Rooting-Verfahren« einzeln eingepflanzt und anschließend natürlich von innen versiegelt wurden. Sophie schwärmt von ihren »hochwertigen dunkelblauen Lauschaer Glasaugen«, zu denen sie die »passenden Wimpern dazugerootet« bekommen hat.

Man liest das, schaut sich die Bilder dieser tatsächlich verblüffend lebensecht wirkenden Puppen an und denkt: Uh, tote Babys! Ist das gruselig! Ja, das ist es. Gruselig und irre. Aber es ist auch ein Hinweis darauf, was die globale Konsumgemeinschaft für Menschen bereithält, für die Kinderhaben zur Pflicht geworden ist. Ein Haus, ein Auto. Und ein Kind, dem man Gefühle entgegenbringen kann, das sie aber selbst nicht erwidert. Ein Kind, das nur wie eins aussehen muss und ansonsten nicht weiter stört. Und das ewig hilflos und klein bleibt, ohne Trotzphase und Pubertät, das man also niemals in die Welt entlassen muss.

Christina jedenfalls ist gerne mit ihrem Hund Peter allein, und bevor sie sich ein gruseliges Reborn zulegt, da läuft sie doch lieber mit einem leeren Kinderwagen durch den Prenzlauer Berg. Sagt sie und klettert über ein umgefallenes Laufrad im Hauseingang.

Olga und Anton oder Wenn das Kind besonders ist

Wir sind in der Mittagszeit verabredet. Olga und Anton kommen vom Arzt, jetzt müsste der Kleine schlafen. Macht er aber nicht. Erst einmal beißt er mir kräftig in die Wange, dann protestiert er erfolgreich gegen das Hinlegen. Nun sitzt Anton neben uns in seinem Hochstuhl und hört seiner Mama zu.

Es ist ja so. Die Mütter hier in Deutschland, die würden ja nicht mal auf ihre eigene Mutter hören! Die sind so selbstbewusst, dass schon der kleinste Hinweis sie kränkt. Wenn es zum Beispiel kühl ist und ihr kleiner Junge eigentlich eine Mütze bräuchte, dann sag ich schon mal was. Dann gucken die aber zurück, dass mir angst und bange wird: Misch dich nicht ein!, blitzen ihre Augen. So ist das im Prenzlauer Berg, das musste ich erst lernen.

Bei Anton ist das was ganz anderes, den finden sie gut. Anton hat das Down-Syndrom. Er wird nun bald zwei, lacht ganz viel, sitzt schon gut mit Unterstützung, und irgendwann kann er bestimmt auch laufen. Alle Downies lernen das. Wenn die anderen Mütter hier im Prenzlauer Berg merken, dass Anton ein besonderes Kind ist, reagieren sie interessiert und höflich. Klar, das ist ja auch cool, mal Verständnis zeigen zu können, verstehst du? Das fühlt sich für sie gut an, wenn sie sehen: Diese Mutter hat ein behindertes Kind, und ich zeige jetzt mal ganz offensiv, wie locker und tolerant ich damit umgehe. Ich will diese Haltung nicht allen unterstellen, doch leider ist solch eine unehrliche Freundlichkeit keine Seltenheit.

Das können Frauen wunderbar: in die Kinderwagen reinlinsen. Ich sehe ja ihre Reaktionen: Erst gucken sie mich an, dann schauen sie in den Wagen, dann sehen sie Antons Gesicht, seine Mandelaugen. Und schließlich gucken sie wie zur Überprüfung noch mal zu mir. Ich sag dann: »Mein Kind hat das Down-Syndrom«, und da werden sie immer besonders nett.

Anders ist das oftmals mit den Älteren. Ich sitze zum Beispiel auf einer Parkbank in der Sonne, neben mir den Kinderwagen, Anton schläft. Dann setzen sie sich dazu und sprechen mich an: »Na, was ist es denn, wie alt ist er denn, schönes Wetter heute« – so etwas in der Art. Und dann meldet sich Anton aus dem Wagen und stößt sein kleines Brüllen aus, wie ich das immer nenne. Das klingt anders als das typische Babyquaken, ist eher so ein lustiges Röhren. »Was hat er denn?«, fragen dann die Alten ganz irritiert. Und ich sage: »Ach, ihm fehlt im Prinzip nichts, er hat nur das Down-Syndrom.« Damit können die gar nicht umgehen. Die wissen einfach nicht, was sie tun sollen, vielleicht, weil sie das nicht kennen, solche Kinder waren ja früher nicht zu sehen in der Öffentlichkeit, und jetzt gibt es sie. Sie stehen schließlich auf, wünschen noch einen guten Tag, und dann gehen sie.

Ich bin vor zehn Jahren aus Russland nach Deutschland gekommen, um hier zu studieren. Ich war jung, einundzwanzig. Zuerst habe ich in Marzahn gewohnt, aber dann bin ich bald in den Prenzlauer Berg umgezogen. Das war toll, eine ganz andere Welt als die, die ich von zu Hause kannte. So viel Freiheit, unglaublich. Die Leute tranken um elf Uhr vormittags in der Sonne Kaffee, ich fragte mich, wovon sie leben, wie sie das bezahlen. Und ich wunderte mich über ihre schlechte Kleidung, das Abgerissene, bis ich verstand, dass auch das Ausdruck ihrer Individualität war, dass sie das extra so wollten. Zuerst fand ich das alles großartig, das war so ganz anders, als ich es von zu Hause kannte. Aber sehr bald habe ich begriffen: Diese Menschen brauchen Hilfe, denen ist ihr innerer Kern abhandengekommen. Es ist ja so: Je einfacher du bist, desto fester ist dein innerer Kern. Bildung, Status, Geld sind toll, aber sie bringen den Menschen eben auch in die Situation, über sich und das Leben nachdenken zu können. Und das, was sie da finden, destabilisiert sie.

Einmal war meine Mutter zu Besuch und brachte mir ihren abgelegten Wintermantel mit. Der war überhaupt nicht mehr modern, eigentlich auch zu kurz und hatte so einen seltsamen Kunstfellbesatz. Aber er war warm und für mich ein Stück Heimat zum Anziehen. Einfach wunderbar! Als ich in diesem Mantel die Straßen entlangging, sah ich, wie die Leute guckten. Was bist du denn für eine, fragten ihre Augen, du gehörst doch nicht hierher, so wie du aussiehst. Da dachte ich: Ihr seid alle nicht frei, überhaupt nicht.

Der Prenzlauer-Berg-Kult existiert für mich heute nicht mehr. Das ist alles nicht mehr wichtig für mein Leben. Ich habe inzwischen zwei Kinder, bin mit einem tollen Mann verheiratet und habe zurzeit wirklich genug mit Antons Therapien zu tun. Im letzten Winter waren beide Kinder unentwegt krank, sie husteten und husteten, wir haben alle kaum geschlafen, das Inhaliergerät war quasi im Dauerbetrieb. Da hab ich schon drüber nachgedacht, aufs Land zu ziehen, wo die Luft besser ist. Aber wir können eigentlich gar nicht wegziehen. Die Miete ist nicht so hoch, wir kriegen Wohngeld. Nur zehn Minuten von unserer Wohnung entfernt ist die Ergotherapie, gegenüber ein Schwimmbad, der Bezirk zahlt uns eine Einzelfallhelferin für Anton, und bis vor Kurzem hat sogar noch unser Hausarzt hier im ersten Stock seine Praxis gehabt. Das ist alles ideal. Also bleiben wir.

»Prenzlauerberg-mäßig«, wenn ich das über jemanden oder etwas sage, dann meine ich es inzwischen eher nicht als Lob. Der Bezirk hat sich sehr verändert. Wenn ich durch die Straßen gehe und die Geschäfte sehe, in denen so viel Kram verkauft wird, den kein Mensch braucht, ärgert mich das. Die ganzen teuren Kindersachen, das französische Brot, die Designerlampen – ich frag mich, wer kauft in diesen Läden ein? Neulich war ich abends im Kino mit einer Studienfreundin, wir wollten danach noch was trinken gehen. Und als wir vor meiner Lieblingskneipe standen, war da plötzlich ein Sushi-Restaurant drin. Ungefähr das zwanzigste in der Gegend. Diese ganzen kleinen, vertrauten, manchmal auch ein bisschen unordentlichen Dinge verschwinden. Und wenn so etwas verschwindet, verschwinden auch die Leute.

Meine Freunde von damals sind fast alle weggegangen aus dem Prenzlauer Berg. Ich bin noch hier. Aber ich spüre die Veränderungen, ich vertraue meinen Gefühlen, weißt du? Und ich fühle eine Clique, die meinen Mantel nicht mag. Das stößt mich ab. Aber so, wie es jetzt hier läuft, kann es nicht bleiben. Die Menschen werden bald müde sein. So zu leben, so zu konsumieren und alles für sich zu beanspruchen – das ist ja auch wahnsinnig anstrengend. Das hält man nicht auf Dauer durch. Weißt du, ich komme aus Russland, aus einer Gemeinschaft, ei-

nem Dorf, in dem jeder mitverantwortlich für den anderen war. Das hier ist keine Gemeinschaft, das ist eine Gesellschaft. Sie ist viel freier und individueller, ja. Aber der Mensch braucht die Gemeinschaft. Sonst kann er nicht glücklich werden.

Irgendwann zwischendurch hat Olga Anton ins Schlafzimmer getragen und ihn hingelegt. Sie hat für ihn laute klassische Musik angestellt, Anton hört nicht gut. Beim Gehen schaue ich noch einmal zu ihm ins Bettchen neben der offenen Balkontür. Da liegt er und schläft – die Mütze, die Olga ihm aufgesetzt hat, sitzt schief.

Amulettgedöns oder

Die Eso-Pause der weiblichen Intelligenz

Ein Baum steht da am Straßenrand. Es ist nicht so einer wie die anderen, die ihre Wurzeln in die Erde strecken, Blätter und Samen tragen, Schatten spenden und im Herbst jede Menge Laub abwerfen. Nein, der Baum am Straßenrand ist ein toter Stamm, in den kundige Hände kleine Fächer gesägt und geschraubt haben, in denen wiederum kleine Flyer stecken. Ich greife mir die dargebotenen Zettel heraus, lese, stutze, grinse. Und trage meine Beute schnell in die Wegwarte.

Ich gebe zu, dass auch ich eine Phase in meinem Leben hatte, die man esoterisch nennen könnte. Wenn man es weniger nett formulieren würde, könnte, ja müsste man gar von einer Zeit geistiger und emotionaler Umnachtung sprechen – einer kleinen Auszeit, einem Power Nap der Intelligenz zugunsten einer an leichten Schwachsinn grenzenden Gläubigkeit an dieses und jenes. Ich weiß auch noch, wann das ungefähr war. Nämlich immer dann, wenn ich ein Kind bekam. Dann war ich plötzlich bereit, neben dem Notwendigen wie Beckenbodengymnastik und Rückenschule allerlei Quatsch auszuprobieren. Bauchtanz zum Beispiel. Körpererfahrung zu Musik – das volle Programm eben. Die schönen Flyer aus dem schönen Mutter-Erde-Baum am Straßenrand preisen genau so etwas an: Klangwelten, Amulettgedöns und Körpererfahrung für Muttis.

Ja, Frauen sind sehr ansprechbar für allerlei Esoterisches. Möglicherweise liegt das daran, dass sie durch das existenzielle Erlebnis der Geburt tatsächlich so etwas wie eine Verletzung, eine Grenzübertretung erfahren haben, die sie anschließend erst mal verknusen müssen. Auf sie wartet dann bereits eine ganze Armada von Heilerinnen, Schamaninnen und Reiki-Meisterinnen, um mit ihren in privaten Kursen teuer erkauften und erlernten Fähigkeiten Geschäfte zu machen. Mein Problem ist dabei nur, dass ich mit dem Abstand der Jahre und meinem sicher ganz, ganz schlechten Karma solche Zettel und Flyer lieben gelernt habe. Weil es so lustig ist, sie zu lesen, weil es prickelt, mich dabei fremdzuschämen und ganz langsam die zu den Texten gehörenden Bilder im Kopf aufsteigen zu lassen.

Seltsame Einladungen dichtet das Eso-Gewerbe für seine Kundinnen. Texte, die inhaltlich einfach nicht auf den Punkt kommen, aus Werbersicht also unmöglich sind – aber wohl gerade deshalb genau jene ansprechen, die ihr Glück im Ungefähren suchen. Beispiel gefällig? Hier eine ellenlange Ein-Satz-Botschaft einer Transformations-Coachin namens Corinna, deren Flyer ich aus jenem gut bestückten Baum am Straßenrand gezupft habe: »Auf Grundlage des Erlernens von Readings und der Kommunikation mit den Erzengeln, Einhorn-Energien und anderen hohen Lichtwesen können immer mehr aufeinander aufbauende Methoden der Medialen Transformationsarbeit dein Leben immer tiefer positiv verändern.«

Verstanden? Nein? Also wenn ich das richtig verstehe, kennt die Frau ein paar wichtige Leute im Energiebereich, die sie einem gern mal vorstellen würde. Man müsste sich lediglich drei Wochenenden Zeit nehmen, um sich von ihr zum »Medialen Transformations-Master Coach« ausbilden zu lassen. Nach Überweisung von 1565 Euro würde man dann von der Dame in die Lage versetzt, »mit lieben Verstorbenen und hohen Lichtwesen« zu kommunizieren, den »DNA-Strang zu aktivieren«, mit »Kristall- und Sternenkindern zu arbeiten« sowie – und das gefiele mir besonders gut – Grundstücke und Wohnungen energetisch zu reinigen. Da wäre bei mir einiges zu erledigen.

Ebenfalls sehr ansprechend ist der Flyer von Sabine, »45 Jahre und Mutter«, deren Kurs »Mutter & Kind in Klang und Bewegung« heißt. Sabine bietet an, in die Klangwelten von Obertoninstrumenten einzutauchen und bei dieser Gelegenheit in uns hineinzulauschen. Und was finden wir da? Da spüren wir »Ruhe, Stille, die sich zur inneren und äußeren Bewegung formen kann, bis hin zu eigenen Tönen«. Was denn für eigene Töne? Ist das ein Pups-Workshop, bei dem es sowohl still ist als auch laut, ruhig und bewegt zugleich? Sabine stellt in Aussicht, »individuell und in der Gruppe« eine Reise anzutreten, auf der sich ab einem bestimmten Streckenkilometer »die Tiefe der Begegnung offenbart und in der Kraft und Harmonie zwischen Mutter und Kind erlebbar wird«.

Ich stelle mir vor, wie ich Sabine zufällig bei einem Geburtstag kennenlerne. »Und, was machst du so?«, würde ich fragen.

»Och«, sagt Sabine und nippt an ihrem Gurkenshake, »ich forsche im Bereich Klang/Töne, Gesang und Heilung. Ich kann das, weil ich sechs Jahre indischen Gesang studiert habe, zusätzlich die Schule der Stimmenthüllung besucht habe und eine Seminararbeit zum Thema Klang und Begegnungen in Beziehungen geschrieben habe. Du zum Beispiel«, würde Sabine sagen und mir dabei mit dem Zeigefinger in die Brust stechen, »du bräuchtest ganz dringend mal einen Kontakt zu deinem kindlichen Selbst, das sehe ich dir an. Komm doch nächste Woche mal bei mir vorbei, bring fünfzig Euro mit und lass mich dir eine tibetische Klangschale auf den Bauch stellen.«

»Ach Sabine«, würde ich antworten, »das ist voll nett von dir, danke schön. Aber mein kindliches Selbst ist gerade auf Klassenfahrt. Vielleicht ein andermal, ja?«

Im Ernst, mein Problem mit diesen ganzen Erkenntnis- und Seelensachen ist, dass wie selbstverständlich davon ausgegangen wird, dass mit mir irgendetwas nicht in Ordnung sein soll. Dass ich ein falsches Leben führe, wo doch schon der Fingerzeig eines Engels reichen würde, um mir mal die richtige Lebensausfahrt zu zeigen. Die Esotanten und -onkel dieses Landes sorgen dafür, dass ich mich irgendwie daneben finde, auf dass sie mich mit ihren Eurythmien, Massagen, ihrem Kraftgedöns und Heilgefaste in ihre nicht unbedingt lebenstüchtige Ecke hineintherapieren können. Das stört, macht misstrauisch und stellt mich als Frau in eine Ecke, in die ich nicht gehöre.

Männer würden vielleicht eher einen Kettensägenworkshop beim örtlichen Forstamt belegen, sie würden einen Schweißerschein machen oder den Sushi-Kurs in der Volkshochschule absolvieren, als sich für das ganze schöne Geld im Sithar-Takt zu wiegen. Sie würden sich Fertigkeiten aneignen, mit deren Hilfe sie notfalls einen Klafter Brennholz besorgen, Babys Gartenschaukel bauen oder eine große Platte Maki zubereiten könnten, statt bei Aama Bombo aus Nepal »Weisheit und Kraft für die nächsten sieben Generationen« zu erlangen. Frauen dagegen werden aufgefordert, nicht nur selbst zu kommen, sondern auch noch ihr Kind zur Heileurythmie zu schicken, auf dass es im Rahmen der »Orpheus-Beratung« inkarniert werde, das Bettnässen überwinde sowie Ängste, Asthma, Neurodermitis und Schulmüdigkeit in den Griff kriege.

Mich kriegen die nicht mehr. Ja, es gab eine Zeit, da war ich dermaßen durcheinander, dass ein geschäftstüchtiger, cleverer Guru mich leicht hätte fangen können. Ich hätte wohl nicht nur Bauchtanz erlernt, sondern auch gleich noch »das Talent der Seele« entdeckt, mir ein Wurzelamulett gekauft, im Rahmen der Zyklusberatung »einen zärtlichen Umgang mit meinem Menstruationserleben« praktiziert oder im Zuge der »kreativen Leibtherapie nach Frick-Baer« gelernt, dass Geld etwas ist, dessen ich mich unbedingt entledigen sollte, indem ich es diesem oder jenem Therapeuten zustecke. Gott sei Dank hatte ich damals ganz wenig davon. Wäre es anders gewesen, könnte ich mich heute nicht so unschuldig amüsieren über all die bunten Zettel in jenem gebastelten Baum am Straßenrand. Ich wäre eine von denen geworden und meine Kinder verstörte Wesen, deren Familienaufstellungstherapie ich heute ratenweise finanzieren müsste. Und wahrscheinlich auch wollte.

Windelfrei oder

So wird Mama unentbehrlich

Hier kommt eine gute Nachricht für all jene Mütter, die sich vollständig abhängig machen wollen von ihrem Kind. Es gibt nämlich eine neue Idee, wie Frauen in den Vierundzwanzig-Stunden-Dauerdienst eintreten und so Teil einer kleinen, elitären Bewegung werden können. Die Bewegung hat auch einen Namen: Windelfreie Erziehung. Bei dieser Methode, die voll und ganz auf die Mutter-Kind-Kommunikation setzt, sind Pädagogen am Werk, die freies Pinkeln gern in die UN-Charta der Menschenrechte aufgenommen sähen. Und es ist ganz einfach: Frauen müssen lediglich bereit sein, ihre Babys Tag und Nacht alle zwanzig Minuten hochzunehmen und zu hoffen, dass die nun wie verabredet ihr großes oder kleines Geschäft verrichten.

Ist das nicht großartig? Ich stelle mir vor, wie bald ganz Berlin auf diesen Esotrichter kommt und in den Straßen und Parks, in Hauseingängen und Behördenfluren Frauen stehen, die die nackten Hintern ihrer Kinder wahlweise in die Frühlingssonne oder den Novembersturm halten und auf ein gutes Pipi- oder Kacka-Ergebnis warten. Wie stets bei solchen Livestyletrends beruft sich die mitteleuropäische Agitationsmutter auf die Naturvölker. Die hätten schließlich auch keine Windeln gekannt und hätten es noch verstanden, selbst Kleinstkindern von den blanken Augen und den sabbernden Schnuten abzulesen, wann es bei ihnen so weit ist. Da ist viel die Rede von Nähe, Feingefühl, Symbiose und Schlüssellauten, die die Kinder – und übrigens auch die Eltern – ausstoßen sollen, wenn's ans Geschäftmachen geht.

Im Internet wird das alles sehr anschaulich und natürlich rein naturvölkisch erläutert. Auf einer Seite wird eine Frau zitiert, die fest davon überzeugt ist, dass die Windelindustrie Teil einer großen Weltverschwörung ist, und die sich wundert, warum Eltern sich derart nutzlos zu Windelkäuferinnen machen lassen. Dabei, so sagt sie, müsse der Gebrauch von Windeln nun wirklich nicht sein, »sofern wir mit dem Kind über seine Ausscheidungen kommunizieren. Stellen wir uns einfach mal die Frage, wer tatsächlich davon profitiert, wenn Kinder lange und permanent gewickelt werden. Das Kind mit einer Windeldermatitis sicher nicht.« Nein, sicher nicht, liebe unbekannte Mutti. Aber vielleicht bist du es ja, weil du nur so deinen permanenten Zugriff auf dein Kind rechtfertigen kannst?

Allein die Vorstellung, das Kind nie der Oma geben zu können, weil die keine Ahnung von moderner Interaktion hat, ist ein Grauen für alle Eltern, die außer Kinder zu haben vielleicht auch mal zusammen ins Kino gehen oder einfach nur sechs Stunden am Stück schlafen wollen. Windelfrei-Mütter brauchen das alles natürlich nicht – sie haben das Kind und sind qua Geburt in eine höhere Daseins- und Bewusstseinsstufe gewechselt, in der man weder Kultur noch Sex oder Schlaf braucht.

Zu allen Zeiten gab es seltsame Trends und zu allen Zeiten Leute, die nichts Besseres zu tun hatten, als sie mitzumachen. Was in den Neunzigerjahren die Ohrwachskerze für die Mutter und die Bernsteinkette fürs Baby waren, das ist heute das Babyyoga als Zeitvertreib für Eltern mit leerem Terminkalender. Man trifft sich, macht die Kinder nackig, dehnt ein bisschen ihre Arme und zahlt anschließend eine Handvoll Euro für etwas, was man genauso gut allein zu Hause hätte erledigen können. Aber da sieht's ja keiner, und darum geht's auch im großen Muttivergleich: um Sichtbarkeit und Vergleichbarkeit. Das Geld für den Kurs, die Zeit, um dort hinzukommen, den Aufwand, etwas so Unberechenbares wie ein Baby pünktlich zum Schaudehnen zu bringen – das alles verlangt nach Anerkennung. Und die gibt es nur in der Gruppe.

Und machen wir uns nichts vor, das Tolle an derlei Veranstaltungen ist doch, dass man zu Hause mal rauskommt und andere Eltern trifft. Ein Bekannter von mir, der mit seinem Sohn zehn Monate Elternzeit genommen hatte, gibt das unumwunden zu. Mag sein, dass das geliebte Kind wirklich schnuckelig ist und das Beste, wofür man sich im Leben entschieden hat. Aber die politische Weltlage, die neue Eels-Platte oder die skandalösen Zuzahlungssätze der Krankenkassen lassen sich eher nicht mit ihm besprechen. Freund Fritz suchte deshalb eine Pekip-Gruppe auf. Neun Frauen, zehn Babys, ein Mann. Fritz.

Anderthalb Stunden dauert so ein Termin beim Prager-Eltern-Kind-Programm. Auch hier werden die Kinder ausgezogen, der Raum ist gut beheizt, und die Babys robben auf Matratzen herum. Zur Einstimmung singen die Eltern ein Lied, anschließend wird ihnen von kundigen Pädagogen gezeigt, »wie sie ihr Kind durch Bewegungs-, Sinnes- und Spielanregungen in seiner Entwicklung unterstützen und begleiten können«. Das klingt nach Arbeit und soll kaschieren, dass Pekip nichts anderes ist als die prima Möglichkeit für Eltern, sich zu treffen, zu unterhalten und hinterher jemand anderen aufräumen zu lassen. So jedenfalls hat Fritz mir das erklärt.

Als Mann war er in diesem erlauchten Klub natürlich etwas ganz Besonderes. Dass er es trotzdem geschafft hatte, im Laufe der zehn Monate die natürlich gegebenen Geschlechtergrenzen zu überwinden, wusste er spätestens, als es beim Nach-Pekip-Kaffee um so interessante Themen wie Dammnahtpflege und Brustentzündungen ging. Und als eine der Mütter in die Runde fragte: »Habt ihr auch noch nicht wieder eure Tage?«, wusste Fritz, dass er nun wirklich angekommen war in der Welt der Frauen. Gerade ist er zum zweiten Mal Vater geworden, er fragt sich nun, ob ihm diesmal in der Elternzeit endlich Brüste wachsen werden.

Möglicherweise aber nutzt er die Zeit auch für das angesagte Windelfrei-Projekt. Da kommt man ebenfalls ins Gespräch mit Fremden.

Und sie hat Ja gesagt oder Ehrlichmachen im Standesamt

Es war ein Freitag, ein dreizehnter. In einem Anfall geistiger Umnachtung war ich kurz vor der Trauung noch mal zum Friseur gegangen. Man hatte mir dort einen Schnitt verpasst, den meine Mutter flippig genannt hätte: irgendwas Abgefrästes in Hennarot. Ich sah schrecklich aus, und ich hatte danach noch weniger Lust zu heiraten. Auch der Bräutigam sandte deutliche Signale, dass ihm dieser Termin, dieser Freitag, der dreizehnte, ziemlich gleichgültig war. Gerade so hatte er es über sich gebracht, sich die langen Haare zu kämmen – und dann mussten wir auch schon los.

Unsere Trauung im Standesamt Prenzlauer Berg ist mir nur noch schemenhaft in Erinnerung. An diesem diesigen Novembermorgen waren wir samt erstem Kind, Eltern und Geschwistern die paar hundert Meter zum Rathaus gefahren. Ich trug einen gigantischen grünen Strickpullover, der nur schlecht meinen Schwangerenbauch kaschierte, dazu einen geborgten schwarzen Rock meiner Mutter. Der Gatte in spe guckte, als führe man ihn zum Schafott. Und tatsächlich war es ja auch fast so. Er, der westdeutsche Wehrdienstflüchtige, hatte sich auch nach dem Mauerfall nicht drum gekümmert, seine Verweigerung anerkennen zu lassen. Und nun wollte ihn sein Staat noch mal zu den Waffen rufen – mit achtundzwanzig Jahren. Verdammt. Wegen seiner tiefen Verzweiflung und Angst bot ich ihm schließlich an, ihn kurzerhand zu heiraten. Soldaten mit Unterhalt beanspruchenden Ehefrauen und Kindern wurden oft verschont.

Und so kamen wir also an diesem Freitag, dem dreizehnten November, angerollt. Die Standesbeamtin hatte uns bei der Anmeldung geraten, nicht auf Musik zu verzichten, das verbreite eher eine Art Beerdigungsatmosphäre. Deshalb perlte dann irgendetwas aus der Konserve – wenigstens Musik, wo wir schon keine Ringe hatten und auch nicht die Absicht, einen gemeinsamen Namen anzunehmen. Eine Trauzeugin hatte, trotz vorheriger Mahnung, ihren Personalausweis vergessen, sodass nun ihr Freund einsprang und mein Mann heute über einen Zeugen verfügt, an dessen Namen er sich nicht einmal mehr erinnert. Eine Viertelstunde dauerte die Sause, wir sagten Ja und unterschrieben die Eheurkunde.

»Freut ihr euch gar nicht?«, fragte meine frisch gebackene Schwiegermutter, die sich die Hochzeit ihres Sohnes sicher ein bisschen anders vorgestellt hatte. Wir freuten uns anstandshalber ein bisschen, und dann gingen wir alle zum Chinesen und aßen irgendwas Süßsaures. Es war in erster Linie eine Maßnahme. Mehr nicht.

Als ich nun, viele, viele Jahre später, wieder die Tür vom Standesamt Prenzlauer Berg öffne, erkenne ich kaum etwas wieder. Gäbe es nicht ein paar verwackelte Fotos von meiner Hochzeit, ich hätte den Trautisch nicht als jenen erkannt, an dem ich einst meine Unterschrift geleistet habe. Die Standesbeamtin ist sehr gut drauf, sie spricht ein wunderbar gepflegtes Ostberlinisch und strahlt mich an. Das liegt nicht nur an ihrem Job, in dem sie fast ausschließlich Menschen begegnet, die heiraten wollen oder für ihr Neugeborenes die Geburtsurkunde ausstellen lassen, also insgesamt Positives im Schilde führen. Nein, es liegt auch daran, dass sie sich freut, mich zu treffen. Sie war es nämlich, die uns damals zur Musik geraten hat, die unser Ja abgefragt hat und fünf Monate später eine der seltenen Prenzlauer-Berg-Geburtsurkunden für unser Kind ausgefüllt hat. Wer hier nämlich Kinder bekommt und bekam, hat das im Geburtshaus oder zu Hause erledigt oder musste zum Gebären in einen anderen Bezirk, eine Geburtsklinik gibt's bis heute nicht im Prenzlauer Berg. Zum Gespräch hat sie alle Papiere mitgebracht und freut sich. Ich auch.

Doch an unsere Trauung kann sie sich nicht erinnern. Mit Verlaub, antworte ich, das gehe in Ordnung, nicht mal ich kann das. Viele Kinder habe sie in jenem Jahr ja nicht beurkunden müssen, Gebären war so kurz nach der Wende im Osten eher ein auslaufender biographischer Entwurf. Tatsächlich, erst Baby Nummer 63 war unsere Tochter damals, und das im schönen Monat Mai!

Heute hingegen hat sie ordentlich zu tun. Fünftausend Neugeborene werden von ihr und ihren Kolleginnen pro Jahr beurkundet, Tendenz steigend. Nirgendwo in Berlin werden so viele Kinder geboren wie hier. Und seit das Namensrecht so geändert wurde, dass jeder tun und lassen kann, was er will, fragt sie auch kaum noch nach, ob die Eltern sich im Klaren darüber sind, was es für ihr Kind einst bedeuten mag, wenn sie es Germania, Philadelphia oder Pinguin nennen. »Die sollen einfach irgendeinen Namen dazugeben, der das Geschlecht erkennen lässt – und fertig.«

Viele neue Namen hat sie inzwischen kennengelernt. Das kommt, weil im weltläufigen Ostberlin mittlerweile jede zweite Ehe »unter Auslandsbeteiligung« geschlossen wird. So nennt sie das: Auslandsbeteiligung. Ach, deutsche Ämter! Diese Ehen und der ganze damit verbundene Aufwand, seien heute das Beste an ihrem Job, »das Salz in der Suppe«.

Herrlich kompliziert sei es, aus arabischen Ländern die nötigen Unterlagen herbeizuorganisieren, auch Asien sei eine harte Nuss. Klasse, dass die ganze Welt hier inzwischen zu Hause sei.

Nur mit dem Heiraten an sich haben es die Prenzlauer Berger nicht mehr so. Bis zum Mauerfall – die Frau macht diesen Job seit dreiunddreißig Jahren – wurden im Bezirk jährlich anderthalbtausend Ehen geschlossen, heute sehen sie und ihre Kolleginnen zu, dass sie tausend im Großbezirk Pankow-Prenzlauer Berg zusammenbekommen. Das liegt an zwei verschiedenen Dingen. Einerseits sind die, die hier wohnen, keineswegs mehr so mit dem Kiez verbunden wie die Ur-Prenzlauer Berger, von denen die meisten sowieso weggezogen sind. Und wenn es tatsächlich ans Heiraten geht, wird jetzt schön brav nach Hause gefahren: nach Bayern, Hamburg oder Niedersachsen, Thüringen und Hessen. Dort wird dann mit großem Bums gefeiert, und zwar kirchlich. Etwa jedes dritte Paar, dem die nette Berliner Standesbeamtin das Doppel-Ja abringt, kommt nur vorbei, um später noch mal »richtig« zu heiraten, also mit Glocken, Segen und allem Drum und Dran.

Das Behördliche verdirbt den Heiratswilligen die Laune. Zumal hier, wo auf dem Flur ein vergilbter Zettel hängt, auf dem steht, man möge sich zehn Minuten vor der Trauung im Büro melden, den Reisepass dabeihaben, bei binationalen Eheschließungen einen »zuverlässigen Dolmetscher« mitbringen und doch bitte heute ausnahmsweise mal den Hund zu Hause lassen. Derlei unromantische Warnungen und Forderungen stehen nun mal diametral dem Wunsch entgegen, so etwas Repräsentatives und Sinnstiftendes wie eine Ehe zu schließen im angesagtesten Familienbezirk der Republik.

Daher verzieht man sich nach geleisteter Unterschrift lieber woanders hin: auf ein Schlösschen im Mecklenburgischen oder in ein schnuckliges Landhaus auf Sardinien. Da können die frisch beglaubigten Familien dann ungestört ihre tief sitzenden konservativen Hochzeitsträume ausleben: mit Reliefdruck-Einladungen, Hussen-Stühlen, einem Jazztrio, Kinderprogramm, Feuerwerk, Tauben und dreistöckiger Torte. Ein ehemaliger Kommilitone gibt den Zeremonienmeister und organisiert für diese komplett durchgeplante Party total überraschende Musikeinladungen und Spiele.

Wenn sie aber dann doch aufs Standesamt kommen, die Zugezogenen, wissen sie meist sehr genau, was ihnen eine steuerfinanzierte deutsche Standesbeamtin schuldet. Die »Wessis«, wie sie sie nennt, bringen meist sehr klare Vorstellungen mit und erwarten von ihr, dass sie ihnen alle nötigen Unterlagen herbeiorganisiert. Aus Passau und La Paz, Paderborn und Paris. »Sie sind doch öffentlicher Dienst – also bitte, hopp, hopp!« Und obwohl sie nicht dafür vom Staat bezahlt wird, bleibt sie immer freundlich und erklärt den lieben Liebenden gern, wo sie ihren Familienbuch-Auszug herbekommen.

Irgendwann ist dann schließlich doch alles beisammen, und es wird geheiratet. Jede Woche Freitag geht es hier zur Sache, sechs Trauungen in drei Stunden. Klar gibt es immer noch solche Ignoranten wie uns damals, die sich ohne Trara zusammenschreiben lassen. Aber auch immer mal wieder welche, die unabgesprochen zum Sektempfang im Standesamt einladen. »Das machen die einfach«, sagt die sonnige Standesbeamtin, »ohne vorher zu fragen. Da knallen dann die Korken, es wird gesungen, die Kinder düsen fröhlich durch die Gegend. Und wenn sie fertig sind damit, wehen die zur Tür hinaus und wir räumen auf.« Sie guckt gerade nicht ganz so fröhlich. Denkt an den ganzen Reis und die Rosenblätter, die sie und ihre Kolleginnen immer freitagnachmittags wegfegen müssen, an die stehen gelassenen Flaschen und Becher. Und an die Kackwindel, die sie erst neulich neben dem Toilettenbecken gefunden hat. Aber egal, sagt sie und lächelt wie zuvor, wer soll's denn sonst machen?

Drei Tage nach unserem Gespräch komme ich wieder hierher, um mal den praktischen Teil zu begutachten. Es ist – was für ein schöner Zufall – ein Freitag, der dreizehnte. Sämtliche Kronleuchter sind eingeschaltet, durch die bodenlangen Gardinen fällt die Sonne. Das ist aber schon alles, was auf das Standesamt als besonderen Ort verweist, ansonsten herrscht Ämteratmosphäre. Im Warteraum lümmeln vier Gestalten: eine hochschwangere, sehr junge Frau und drei Männer. Warten sie auf jemanden? Warten sie gar darauf, getraut zu werden – und wenn ja, welcher der Männer heiratet die coole Jungfer mit der riesigen Sonnenbrille im ungekämmten Haar?

Die Jungs sind alle deutlich älter als die Braut, sie tragen Bärte, Kapuzenpullis, schlecht sitzende Beutelhosen und reden lautstark über Motorradstrecken in Australien. Die Braut sitzt still und allein in der Ecke. Ich frage mich, was sie bewogen haben mag, einen der drei Typen zu ehelichen. Das Kind ehrlich machen? Steuern sparen? Wahre Liebe? Um elf Uhr öffnet sich die Tür zum kleinen Trauzimmer, die vier schieben ab und kommen sechs Minuten später wieder raus. Die Frau hält einen der drei Klone bei der Hand, der ist es also geworden. Sie muss noch mal, das Kind drückt auf die Blase. Er hält solange die Eheurkunde, und dann verschwinden die beiden mit ihren Jungs in irgendeine gemeinsame Zukunft.

Die Standesbeamtin kommt um die Ecke zu mir und erklärt: »Die wollten nüscht, keine Musik, keine Ringe, nur unterschreiben. Heute Morgen um neun waren zwei hier, die kamen mit dem Fahrrad. Helm ab, unterschreiben und weg. Die Frau hatte so schmutzige Schuhe – mit den Botten würde ich nicht nur nicht aufs Standesamt gehen, sondern auf gar kein Amt.«

Sie ist nicht wirklich enttäuscht, sie hat sich dran gewöhnt. Das ist Berlin, das ist Heiraten im 21. Jahrhundert, im angesagtesten Familienbezirk der Republik. Ach, denke ich beim Rausgehen, ist doch egal, wie man's macht. Ich habe ja auch nur unterschrieben, keine Ringe, kein Familienname. Eine Maßnahme. Und, hat's geklappt? Ja.

Transporträder im Familiengewühl oder

Ich hab nichts gemacht, Pablo!

Als ich heute Morgen auf dem Balkon des Wegwarte-Hauses stehe, sehe ich sie vorbeifahren. Eine Mutter im Office-Outfit, gekleidet wie jemand, der bereit ist für diese Welt und die damit verbundenen Herausforderungen. Hellblaue Bluse, halblanger Rock, Fußbett-Pumps. Sie fährt Rad. Hinten hat sie eines ihrer Kinder in den gefährlich schwankenden Römer-Sitz gepackt, vorn zwischen ihren Knien klebt das größere Kind auf dem Lenkersitz. Eine mächtige, wertvolle Fuhre treckt sie da Richtung Kita, behäbig und nicht ganz spursicher auf dem löchrigen Bürgersteig.

Um alles noch einmal zu unterstreichen – die Eile, die Verantwortung, den Job, zu dem sie gleich muss –, hat sie sich praktischerweise das Fahrradschloss um den Hals gehängt. Ich sehe die Frau die Straße runterradeln. Müde sieht sie aus, gestresst, obwohl es gerade mal acht Uhr morgens ist. Sie hat schon ihre erste, die Kinderschicht hinter sich.

Ich kenne das. Besser: Ich habe das mal gekannt. Morgens pünktlich die Kinder wecken, ihnen den Schlafsand aus den Augen und die Zahnpasta aus den Mundwinkeln wischen, Cornflakes auftischen, Äpfel schnippeln, halbwegs gute Stimmung verbreiten und trotzdem fortwährend zur Eile mahnen. Und eigentlich schon jetzt, nach nur einer Stunde Tag, das erste Energiemanko spüren. Waren die Kinder schließlich in Schule und Kindergarten verklappt, musste ich erst mal kurz durchatmen. Der Tag einer erwachsenen Arbeitnehmerin, die auch noch etwas anderes als Kitafahrt und Impftermine im Kopf hatte, konnte beginnen.

So ist es heute offensichtlich immer noch. Nur wenig später, wenn auch die Männer in Anzug und mit Fahrradhelm mit ihren Kindern durch sind, beginnen die Macchiatomütter die Straße hinunterzutrudeln. Sie haben Zeit. Gemächlich ziehen sie mit ihrer Brut zum Eltern-Kind-Café, zum Spielplatz oder Babyyoga. Sie schieben ihre Räder, in deren Anhängern die lieben Kleinen sitzen. Die meisten Frauen reden unentwegt mit ihren Kindern, auch wenn sie zweieinhalb Meter hinter ihnen in ihrer Kalesche thronen.

Diese Anhänger, Planwagen gleich, sind sicher praktisch und ganz sicher richtig teuer. Eine Anschaffung für jenes Leben, das man mit Kindern zu führen bereit ist. Chariots heißen sie, »Kindertransporter« werden sie auf der Website des Anbieters genannt. Vielleicht bin ich zu alt – aber bei diesem Wort habe ich einfach andere, sehr ungute Assoziationen, die mit der Geschichte des zwanzigsten Jahrhunderts verbunden sind. Doch sei's drum, die Chariots sind eine Klasse für sich. Man kann mit ihnen so gut wie alles: joggen, radfahren, trekken, langlaufen ... Schaut man sich die Websites an, ist dort irritierend wenig von Kindern, sondern viel von grenzenlosem Abenteuer die Rede.

Wie stets, wenn es um modernes Equipment-Marketing geht, tragen die Modelle verheißungsvolle Namen: Captain, Cabriolet, Corsaire heißen die Zweisitzer für die Stadt. Cheetah, Cougar oder schlicht CX werden die Outdoormodelle fürs Einzelkind genannt. Beim Captain, also dem, der alles hat und kann, geht es mit 750 Euro los. Dazu kommen noch die Fahrradkupplung, der Kinderwagengriff, eine Matratze, ein Fußsack oder das Regenverdeck – für zusätzliche 270 Euro ist man dann endlich ausgestattet und bekommt großzügigerweise die Reflektoren und den obligatorischen Wimpel geschenkt.

Dieser Wimpel, eine Art orangefarbenes Signalfähnchen, ist tatsächlich lebenswichtig. Denn nicht nur, dass der kostbare Nachwuchs in seiner Transportbox an ein Fahrrad gehängt und auf Auspuffhöhe von den Autos zugegiftet wird, er ist da unten für Autofahrer auch verdammt schlecht zu sehen und liegt in den Kurven wie ein Schwerlasttransporter. Er stellt also alles in allem eine echte Gefährdung dar, sowohl für seine Insassen als auch für andere Verkehrsteilnehmer, die ihres Lebens nicht mehr froh würden, sollten sie so ein fahrbares Zelt unter die Räder kriegen. Besonders raffiniert ist, dass der Chariot werkseitig ohne Licht ausgestattet ist. Das haben ja auch viele Radfahrer nicht. Möchte man da mainstream sein?

Eine Lichtanlage hingegen kann man bei den immer öfter zu sehenden Lastenfahrrädern gern dazubestellen. Die zu befördernde Last besteht hier aus Kindern, die in einem vorn montierten Kasten auf einem Bänkchen hocken und verdammt wenig von der Welt mitbekommen – gerade so kann man im Vorbeifahren ihre Mützchen oder Pagenschnitte erkennen. Diese Gefährte haben aber wenigstens Licht. 84 Euro kostet so eins, aber das fällt schon nicht mehr groß ins Gewicht bei einem Fahrzeug, das als Grundpreis 1575 Euro aufweist.

Mit Zusatzelementen wie Sitzen für die Kinder, Bremsen, die tatsächlich bremsen, Regendach und Licht kommt man ganz schnell auf 2500 Euro. Nach oben ist da noch alles offen, und das Kettenschloss für 135 Euro eine schlichte Selbstverständlichkeit. Ich hoffe, dass Leute, die sich so ein massiges dänisches Transportding zulegen, stattdessen wenigstens aufs Auto verzichten. Es geht die Rede, dass viele der zugezogenen Ausländer Probleme haben, ihre Führerscheine anerkannt zu kriegen und deshalb auf diese Räder ausweichen. Verstehen kann ich das gut. Aber es wird halt verdammt eng hier.

Denn wenn es Nachmittag wird im Prenzlauer Berg, bricht das Cruising aus, die Parade der längsten, breitesten und behinderndsten Kinderbeförderungsmittel. Die Eltern holen ihre Kleinen aus den Kitas ab, sie fahren nun nach Hause, zum Biosupermarkt oder auf den Spielplatz. Richtig voll wird es dann und im Fahrzeugbegegnungsfall auch schon mal ungemütlich. Denn wo sich zwei Kutscher auf dem Bürgersteig begegnen, wo sie stehen bleiben und ein Schwätzchen halten, wird der Weg unpassierbar. So vertieft sind die Mütter oder Väter in ihre Gespräche, dass ihnen schlicht entgeht, wie sich die Passanten vorbeiquetschen müssen, wie sie »Entschuldigung?« murmelnd den doppelten Schubverband zu passieren versuchen. Das alles sehen, hören und spüren sie nicht.

Erst dann, wenn eine autorisierte Person um Durchlass bittet, wird die Gasse freigemacht. Wer autorisiert ist? Natürlich eine Mutter oder ein Vater, die mit ihrem Kinderwagen, seinem Lastenrad oder dem Chariot beim besten Willen nicht mehr durchkommen. Glück haben jene Fußgänger, die in solchen Momenten zur Stelle sind und unbeschadet den Stau passieren können. Alle anderen müssen auf die Straße ausweichen oder geduldig warten, bis die Mutterschiffe die wichtigsten Informationen erschöpfend ausgetauscht haben. Erst dann kann's für alle weitergehen.

Es sind solche Momente, diese *Me-first*-Situationen, die selbst im elternfixierten Prenzlauer Berg immer mal wieder zu Unmut führen. Schließlich können ja die anderen Bewohner nichts dafür, dass der Familienrat beschlossen hat, seinen Nachwuchs in sauteuren riesigen Gefährten durch den urbanen Raum zu karren. Und sie sind auch nicht daran schuld, wenn Eltern ihre Kinder nicht etwa in einer verkehrsarmen Ecke im Park Fahrradfahren oder skaten lernen lassen. Sondern schön sichtbar und maximal behindernd auf dem frisch verfugten Bürgersteig der Kollwitzstraße.

Unter großem Gejauchze und Getöse schettert gerade ein Ein-Meter-Fahranfänger auf mich entgegenkommende Fußgängerin zu. »Der wird doch nicht! Du wirst doch nicht?«, kann ich gerade noch denken – da wummert er auch schon direkt vor mir aufs Pflaster.

Alarm! Ein Kind ist hingefallen! Der kleine Pablo ist nicht verletzt. Aber mächtig erschrocken. Zwei Sekunden nach seiner harten Landung auf den schönen neuen Granitplatten fängt er an zu weinen. »Mensch, du kleiner Kerl!«, sage ich zu ihm und beuge mich runter, »bist du hingefallen?« Doch Pablo kommt nicht dazu, mir zu antworten. Denn nun ist auch seine Mama eingetroffen, die sich zwischen uns drängt, ihren Sohn auf den Arm nimmt, ihn fest an sich drückt und auf ihn einredet: »Ogottogottogott, Pablochen, hast du dir sehr wehgetan? Ist dir die Frau ins Fahrrad gelaufen, hm?«

Ich weiß, was sie fühlt: Ihr Schätzchen hat sich wehgetan. Aber das heißt ja noch nicht, dass *ich* daran schuld bin, und deshalb stottere ich wie ein ertapptes Kind: »Ich hab doch nichts gemacht.« Nach einer ziemlich kurzen Denkpause erwidert sie: »Na das hab ich gern: Das Kind behindern und dann nicht mal entschuldigen.« Ich tue, wie mir geheißen, entschuldige mich und trolle mich nun zügig. Ehrlich, ich habe nichts gemacht, der kleine Troll ist einfach in mich reingesaust. Hinter mir schmäht mich lautstark die Frau, solche wie ich würden hier die Sicherheit gefährden, und ob ich es für angemessen hielte, dass nun schon die Kinder gucken müssten, wo sie hinfahren ... Du lieber Himmel, ist das gefährlich und anstrengend, hier einfach von A nach B die Straße runterzugehen! Und da, was kommt da auf mich zu? Ein kleines Mädchen auf seinem pinken Rad, den Helm schön tief ins Gesicht gezogen. »Die wird doch nicht! Du wirst doch nicht?«

Eigentum verpflichtet oder

Dann doch lieber in Marzahn wohnen

Interessiert stehen die beiden da: Vater und Sohn. Beide – der Große das Fahrrad haltend, der kleine im Kindersitz – schauen zu, wie ein Bauarbeiter fein säuberlich die Fahrbahnmarkierung aufträgt. Sie werden Zeugen, wie eine viel befahrene Durchgangsstraße zur Fahrradstraße umgewidmet wird. Entsprechend riesig fällt das Fahrradzeichen aus, das der kundige Werktätige da auf den Asphalt aufträgt.

Die beiden genießen den Augenblick. Das sollten sie auch, denn hier geschieht gerade etwas ganz Seltenes: Eine gute stadtplanerische Idee wird ins Werk gesetzt, und das ist im Prenzlauer Berg eher selten. Ansonsten nämlich fällt die Bauverwaltung eher dadurch auf, viele Straßen und Wege gleichzeitig zu sperren, aufzureißen, zuzuschütten, um sie Wochen später unter Salutschüssen wieder für den Verkehr freizugeben. Wenig später werden sie erneut gesperrt und aufgerissen. Um den Leidensdruck für die Bewohner des Bezirks noch ein bisschen zu erhöhen, werden die Umleitungen dann so festgelegt, dass man selbst mit den besten Ortskenntnissen und dem aktuellsten Navi irgendwann unrettbar verloren ist.

Wenn ich da draußen sehe, dass wieder einmal unverhofft und wie von Zauberhand eine wichtige Straße gesperrt wurde, denke ich voller Zuneigung an die Bauverwaltung meiner Kleinstadt. Wenn da mal für drei Monate eine Hauptstraße »grundhaft erneuert wird«, bekomme ich im Amtsblatt erklärt, wann es losgeht mit der Störung meiner Abläufe, wie lange das Ganze dauern wird, was es kostet und welche Umleitung man für mich vorgesehen hat. Wird der Zeitplan nicht eingehalten, muss sich der Bauleiter in der Lokalzeitung öffentlich erklären. Und wird der Termin doch gehalten, kommt am Schluss der Bürgermeister, schneidet ein Band durch und dankt den Anliegern für ihre Geduld.

Ja, so ist das in der Provinz. Und obwohl auch der Prenzlauer Berg im Grunde eine Kleinstadt ist, gehört es hier offenbar zum guten Ton, dass die Verwaltung die Bürger gern ein bisschen leiden lässt, ihnen die Straßen versperrt, ohne vorher Bescheid zu sagen, sie umständliche Wege zurücklegen lässt und – vor allem – ihnen nicht erklärt, warum etwas passiert, wie lange es dauert und wer das Ganze letztlich bezahlt.

Wenn dann die Fußgänger und Radler, die Lieferfahrzeuge und Privatautos sich einen Weg durchs frisch verwirrte Straßenlabyrinth zu bahnen versuchen, fällt ihnen im Stau möglicherweise ein Schild auf, das sie noch nie zuvor gesehen haben. In einem rot umrandeten Warndreieck erkennen sie ein Haus, aus dem gerade in hohem Bogen ein Männchen rausfliegt. Nein, hier wird nicht vor Rutschgefahr in frisch gebohnerten Hauseingängen gewarnt – dieses Schild ist ein ziemlich intelligenter Protest gegen die Verdrängung der alteingesessenen Bewohner durch immer höhere Mieten, steigende Immobilienpreise und durch Leute, die sich all das leisten können und trotzdem noch Zeit und Geld für Milchkaffee haben.

Angebracht ist das Schild direkt vor einem der umstrittensten Immobilienprojekte der Gegend. Die Choriner Höfe sind in eine relativ schmale, dafür aber sehr, sehr tiefe Baulücke geklotzt worden. Verkaufsmotto: »The fine art of living«. Mag sein, dass die Bewohner sich an die ewigen Gerüste wegen der Fassadensanierungen gewöhnt haben, an die riesigen Kräne für die Dachgeschosswohnungen, sogar an die Dixi-Klos, deren pestilenzartigen Gestank niemand einfach ignorieren kann. Aber *The fine art of living*? Sind wir hier an der 5th Avenue, oder was? So ein bisschen abgeschabt soll es im Bezirk schon bleiben – da stört allzu offensiv zur Schau gestellter Reichtum.

Und tatsächlich, 3500 Euro kostet ein Quadratmeter *fine art*, und wer *living* mit der Loftwohnung im sechsten Stock verbindet, zahlt auch schon mal sechseinhalbtausend für die Größe einer Tischdecke. Das mag für die Eltern aus Schwäbisch-Gmünd, die die Immobilienpreise in der Stuttgarter Innenstadt parat haben, noch okay und halbwegs bezahlbar sein. Was aber das Projekt so unbeliebt macht, ist die zur Schau gestellte Schnöseligkeit, das hemmungslose Abschotten gegen die anderen in Gestalt von Türstehern, Videoüberwachungsanlagen und Bildtelefonen an der Klingelanlage. Und das in einer Gegend, die längst wohlhabend ist, in der man aber gesteigerten Wert darauf legt, das schön protestantisch nicht so raushängen zu lassen. Letztlich bedeutet das Drehen an der Schnöselschraube, dass selbst die Zugezogenen irgendwie unterklassig sind für Leute wie jene, die sich in die Choriner Höfe einkaufen. Eine große nachbarschaftliche Beleidigung!

Um so größer ist die Häme, als endlich mal jemand was unternimmt gegen diese Neuen im Kiez. »Sie sind herzlich eingeladen!«, steht auf dem Flyer, den die Nachbarn der

Choriner Höfe in ihren Briefkästen gefunden haben. Eine nette Geste, mit der man sich bei den Nachbarn für den Lärm und den Staub, für die Behinderung des Buggy-Verkehrs und den frühmorgendlichen Lärm des Steinschneiders während der Bauphase erkenntlich zeigen möchte. Nichts für ungut. Aber dann – nach der Einladung zu Champagner und gemeinsamem Kennenlernen – kommt's: »Einige nicht sanierte Häuser in unserer gemeinsamen Nachbarschaft passen jetzt nicht mehr in das neue, gehobene Erscheinungsbild unserer Straße. Deshalb haben wir uns im Sinne der guten Nachbarschaft bereiterklärt, die unansehnlichen Gebäude zu erwerben und stilgerecht zu sanieren.« Dabei, so geht es weiter im Text, wolle man die jetzigen Mieter nicht mit dem Problem der höheren Mieten allein lassen. »In naher Zukunft entstehen neue qualifizierte Arbeitsplätze für Servicekräfte in den Bereichen Security, Facility Management, Gastronomie, Grünanlagenpflege und Housekeeping.« Im Klartext: Wenn ihr hierbleiben wollt, wird's teuer, aber ihr könnt euch bei uns 'ne Mark dazuverdienen – wir brauchen Gesinde: Diener, Gärtner und Aufpasser.

Am Ende des Briefes wird den Leuten im Kiez auch noch mit der Enteignung des identitätstiftenden öffentlichen Platzes gedroht, und zwar mit dem Mittel der Bürgerbewegung: »Die Familien und Käufer haben eine Kinderspielplatz-Initiative gegründet und freuen sich über eine rege Teilnahme aus der Nachbarschaft. Die Zukunftsvision ist ein sicherer, abgeschirmter Spielplatz auf dem Areal des Teutoburger Platzes, exklusiv für Mitglieder der Initiative. Ziel ist es, die Kontakte unserer Kleinsten untereinander zu stärken und Sicherheit vor unkontrollierten Einflüssen zu gewährleisten. Pädagogisch geschultes, mehrsprachiges Personal wird für die Betreuung unseres Nachwuchses sorgen. In unsere Kinder investieren heißt, in unsere Zukunft investieren. Wir freuen uns auf Sie!«

Es hat ein bisschen gedauert, bis auch dem Letzten auffiel, dass die Einladung zum Schampus ein Fake war, in dem stand: Verpisst euch, das hier ist jetzt alles unseres. Was wäre daran bitte neu? Genauso ist es ja längst. Dennoch scheint irgendwas nicht so recht geklappt zu haben mit dem Immobilienbusiness. Es stehen noch Wohnungen zum Verkauf, und sogar einmieten kann man sich mittlerweile.

Die Lage ist ziemlich klar: In einem Bauprojekt wie diesem, das einen derart schlechten Ruf in der Gegend genießt, kauft keiner die Wohnungen und Lofts zur Straße hinaus. Denn da leben ja echte Menschen mit echten Leben und möglicherweise – man möchte gar nicht so genau drüber nachdenken – mit weniger Geld als man selbst. Und die könnten doch darauf kommen, Farbbeutel zu werfen oder den Cayenne zu zerkratzen. Wohnungen, aus denen man all dessen ansichtig werden könnte, verkaufen sich nicht. Und so kommt es, dass man sich jetzt einmieten kann. Aber will man das?

In der Musterwohnung wartet der schöne Gideon. Gideon öffnet mir die Tür und führt mich herein. Er duzt mich und schaut mich aus bemerkenswert grünen Augen an. Was mir denn so vorschwebe, fragt Gideon. Ich fasele was von kleiner Citywohnung für Berufspendler. Gideon schiebt mir die Preisliste und den Lageplan herüber. Hier ist noch was frei, da schon was reserviert, Eichenparkett, Bulthaup-Küche sind inklusive, Tiefgaragenplatz 120 Euro. »Und was ist mit Kindern«, frage ich, »wo spielen die hier?« Gideon zeigt auf das gesamte Areal. »Kinder können hier überall spielen«, erklärt er mit raumgreifender Geste, »erst hatten wir zwei Spielplätze geplant, aber dann haben wir entschieden: Die

Kleinen sollen hier ihre Freiheit genießen.« Darauf ich: »Ach so? Mich stören Kinder aber eher, ich zahle hier eine Menge Geld, da will ich meine Ruhe.« Gideon ist jetzt ein bisschen ratlos. Auf solche Kundinnen haben sie ihn beim Verkaufstraining nicht vorbereitet. Er tut das Naheliegende und rät mir zu einer weit oben gelegenen Wohnung: 65 Quadratmeter für 14,50 Euro Kaltmiete. Ich lächle, packe die Tabellen und Lagepläne ein und verspreche, mich wieder zu melden. Trotzdem lächelt er beim Abschied.

Draußen im Hof schaue ich mich noch einmal um. Das Ensemble sieht aus wie ein zu eng bebauter All-inclusive-Ferienclub, dicht an dicht reihen sich die Balkone und Loggien, schmale Wege teilen den schattigen Hof. Noch wohnt kaum jemand hier, aber wenn, wird es hier hallen und schallen, die Eigentümer werden einander weitaus besser kennenlernen, als sie das je vorhatten. Und wenn dann noch durch das kleine Millionärsdorf eine Kinderhorde marodiert, liegt der Gedanke nahe, dass hier zu wohnen ungefähr so schön ist wie in der Marzahner Platte. Da weiß man wenigstens vorher, was einen erwartet. Und spannender und billiger ist es da allemal.

Wer bist du? oder
Die Westlerin in meinem Kiez

Gut sieht sie aus. Weiße Hose, cremefarbene Bluse, das kastanienfarbene Haar leuchtet in der hereinbrechenden Vormittagssonne. »Wer bist du?« heißt ihre Galerie, ein langer schmaler Raum, in dem ihre Bilder hängen. Sie erzählt, wo sie fotografieren gelernt hat und dass ihr Studio nicht hier, sondern bei ihr zu Hause ist. Dort lassen sich die Bewohner des Prenzlauer Bergs von ihr porträtieren – diese Frau muss wissen, wie sich die Menschen hier fühlen. Sie schaut ihnen Tag für Tag ins Gesicht.

Ich würde nirgendwo anders leben als hier, das sage ich Ihnen ganz klar. Im Prenzlauer Berg gibt es vielleicht zehn Straßen, in denen ich wohnen möchte, zehn Straßen in einem ziemlich engen Radius – wenn ich hier nicht schon meine Wohnung hätte, müsste ich mir eine suchen. Als ich vor zwölf Jahren herkam und mir unser Dachgeschoss im Rohbau angeschaut habe, musste ich weinen vor Glück. Ich wusste: Jetzt bin ich angekommen. Und dieses gute Gefühl ist geblieben all die Jahre.

Es gibt so unsagbar blöde Klischees über den Prenzlauer Berg, die ärgern mich. Klar, man kann die bedienen, ich bediene sie ja scheinbar selbst. Ich bin aus dem Westen, ich habe eine Dachgeschosswohnung und bin Fotografin mit einer kleinen Galerie mitten im Touristenviertel. Da treffen alle Vorurteile über die neuen Reichen zu, nicht wahr? Aber so einfach ist es eben nicht. Die Bezeichnung »neue Reiche« erscheint mir im Zusammenhang mit meiner Familie einfach nur komisch. Ein Leh-

rer und eine Spätstudierende mit drei Kindern, die sich allen Warnungen zum Trotz mit dem Kauf einer Berliner Dachgeschosswohnung dem finanziellen Dauerstress verschrieben haben. Bis heute jammern meine Kinder, dass nie Geld da ist, dass andere von ihren Eltern unterstützt werden. Aber das sieht natürlich keiner, nach außen wirken wir wohlhabend.

Nach so vielen Jahren möchte ich mich nicht mehr dafür verteidigen müssen, dort zu wohnen, wo ich es möchte. Denn ich liebe den Prenzlauer Berg. Ich liebe den Osten. Ich wollte hier unbedingt hin und gehe auch nicht mehr weg. Wir sind damals aus der Pfalz hergekommen. Ich kann mich noch gut an die Zeit erinnern Ende der Neunziger. Mein Mann ist Lehrer, der wollte erst gar nicht, er hätte genauso gut dort bleiben können. Und meine Töchter waren damals in der Pubertät, die haben gekämpft darum, nicht hierher zu müssen, heute sind sie gottfroh. Aber ich hatte das Gefühl: Ich muss. Berlin ist die einzige Stadt für mich. Ich wäre auch allein gegangen, das weiß ich heute.

Ich habe schon einmal als junge Frau hier gelebt, in Westberlin, ich war Krankenpflegerin. Durch den Mauerfall ist mir das alles wieder bewusst geworden: also meine Geschichte als Deutsche, der Zweite Weltkrieg war plötzlich wieder ein Thema, die Erzählungen meiner Großmutter von jenem verlorenen Land im Osten. Als ich zwölf war, ist meine Mutter einmal mit mir nach Ostberlin gefahren. Ich erinnere mich an die unglaublich breite windige Straße am Alexanderplatz, den Hackepeter, den ich essen musste, damit das Geld ausgegeben wird. Und an die geheimnisvollen dunklen Straßen, in die wir nicht gehen durften.

Als ich mit siebzehn Jahren nach Berlin gezogen bin, hatte ich Discos und freie Liebe im Kopf. Der Osten war nur präsent als der lästige Streifen Land, der durchquert werden musste. Später hat es meinen Mann und mich dann in den Hunsrück verschlagen, die DDR war verdammt weit weg. Erst als ich im November 1989 im Fernsehen die Bilder vom Mauerfall sah, überschwemmte mich die Erinnerung an die Erzählungen meiner Großmutter. Ein sehr, sehr starkes Gefühl war das.

Ich wollte dann unbedingt hierher, in den Osten natürlich, denn den kannte ich noch nicht. Ich wollte was fühlen. Und ich habe sofort was gefühlt. Als ich Ende der Neunzigerjahre das erste Mal durch dieses Viertel gegangen bin, habe ich all die wunderschönen Häuser gesehen, die Leute waren gut drauf, und am Kollwitzplatz hatte grad Bill Clinton gegessen. Ich war genau dort gelandet, wo der Prenzlauer Berg am schönsten ist, und genau dort war auch die Wohnung, die wir im Auge hatten. Fügung ist so etwas wohl. Ein Adlerhorst zwischen Ost und West, mit ganz weitem Blick.

Den bröckelnden Putz, das irgendwie Dunkle, unfertig Provisorische des Ostens, das mich schon als Kind so fasziniert hatte, gab es im Prenzlauer Berg da schon nur noch an manchen Ecken. Ich stürzte mich auf die Eltern der Freunde meiner Kinder. Echte Ostler, die ich mit hartnäckigen Fragen in Verlegenheit brachte. Ich war empört über die Landnahme der anderen Westler, litt mit den neuen Freunden am Ausverkauf des Prenzlauer Bergs. Dass auch ich Teil dieser Entwicklung war, schmerzte, und am liebsten wäre ich dauernd mit einem Schild um den Hals rumgerannt: »Ich bin nicht so.«

Sie sind ja zum Beispiel eine Frau, die genau zu jener Zeit von hier weggegangen ist, als ich mit meiner Familie hergekommen bin. Sie hatten damals die Nase voll von Leuten wie mir. Aber wie soll ich nun bitte damit umgehen? Das ist ein Problem, über das wir miteinander reden, aber das wir nicht mehr lösen können. Leute wie wir, Zugezogene wie mein Mann und ich, sind jetzt hier in der Mehrheit. Das ist so, das hat sich so entwickelt, und das wird sich erst einmal auch nicht mehr ändern. Es hat sich hier unheimlich viel getan. Das kann man unmöglich ignorieren. Ich sehe kaum noch alte Leute auf der Straße, manche sind gestorben, aber manche mussten einfach gehen, es ist ja alles teurer geworden hier. Diesen Leuten gegenüber habe ich mich mitunter geschämt, ich wollte nicht, dass die weggehen und nur noch Leute wie ich es sich leisten können zu bleiben.

Ich finde es gut, dass es hier jetzt aufgeräumter ist, sauberer. Wenn ich morgens die Galerie aufschließe, schmeiße ich ein paar Bierflaschen und Zigarettenkippen weg, das war's aber auch schon an Spuren der Nacht. Bis vor ein paar Jahren war das noch ganz anders, da war der Prenzlauer Berg das Ausgehviertel von Ostberlin. Aber heute haben die Partymeister selbst Kinder, sie gehen früh ins Bett und wollen nachts ihre Ruhe haben. Was mich stört, sind die Touristenbusse, die manchmal hier am Laden vorbeischleichen. Wir sind doch hier kein Tierpark! Früher, in den Achtzigerjahren, habe ich in Charlottenburg gewohnt, da war's irgendwann auch so: ordentlich, es gab gute Restaurants, und die Touristen sind durch die Straßen gezogen.

Manchmal habe ich hier dieses Déjà-vu: der Kollwitzplatz als der Savignyplatz des Ostens, ordentlich, bür-

gerlich, bunt. Obwohl mir das gefällt, kann ich nicht den spöttischen Ton überhören, mit dem Alteingesessene dieses Wort aussprechen: BUNT. Wo ist es hin, ihr Land? Es gibt eine Stelle am Anfang der Knaackstraße, wenn man von der Prenzlauer Allee kommt, dort liegen am Boden große, abgelaufene Steinplatten. Jeden Tag gehe ich drüber und verkneife mir, meine Wange da draufzulegen, um zu spüren, wer und was sie so platt getreten hat. Ich fühle Geschichte hier, die wird die neue Buntheit nie übertünchen können.

Als Fotografin habe ich sehr viel mit den Leuten zu tun, die hier leben und sich von mir porträtieren lassen, ich sehe also unmittelbar, wie die drauf sind. Da kommen Künstler oder Menschen aus dem Coaching-Bereich, die für ihre Website ein gutes Bild brauchen. Aber auch Ältere und Alteingesessene, ja, die kommen auch. Meine Idee ist es, mit den Leuten so lange zusammen zu sein, bis ich ein Bild aufnehme, das sie wirklich zeigt. Mein künstlerisches Konzept heißt »Wer bist du?«. Damit verbinde ich, dass sich die Kunden fragen können: Wie sehe ich mich? Wie sehen mich andere? Wie will ich gesehen werden oder wer wollte ich schon immer mal sein? Das erfordert Mut, macht aber auch unglaublich viel Spaß.

Ich mache das jetzt seit drei Jahren, und ich kann sagen: Jeder Mensch ist schön – wenn er loslässt. Und das ist das Besondere an meinen Bildern. Wenn die Menschen zu mir kommen und ich zu Beginn auf den Auslöser drücke, damit sie sich an die Studiosituation gewöhnen, dann schaue ich in verschlossene Gesichter. Ich sehe Angst, eingeübte Stärke, anerzogene Lockerheit. Ihre Münder sind verkrampft, sie machen die Au-

gen nicht richtig auf, das ist ja auch alles schwierig und ungewohnt für sie. Am Ende zeige ich ihnen ihre Bilder: die zwanzig guten, auf denen sie toll aussehen, aber auch die anderen, vor denen sie Angst haben. Oft weinen sie dann, weil sie sich schön finden und sie so glücklich sind.

Die Leute hier aus der Ecke sehen gut aus: gesund, gepflegt und gebildet. Das heißt natürlich nicht zwingend, dass sie zufriedener sind. Es ist auch eine Herausforderung, im Prenzlauer Berg zu wohnen. Man muss sich das leisten können. Der Kollwitzmarkt zum Beispiel ist scheißteuer, ehrlich, ich kaufe da nichts mehr ein. Vor zehn Jahren habe ich dort noch junge Leute gesehen, die für ihre Wohngemeinschaft die Sachen besorgt haben. Von denen gibt's aber kaum noch welche. Schade eigentlich … Wenn ich mir hier so zuhöre, krieg ich echt Angst. Wo geht es hier mit uns hin? Jede Zeit hat ihre Regeln. Hier und heute braucht es Erfolg, Stärke, Forschheit, und das überfordert uns oft. Ich merke das ja, wenn ich bestimmte Leute für mein privates Projekt porträtieren möchte. Da geht es um das Thema Stille, ich möchte gern zeigen, was Stille mit Menschen macht. Diese Leute möchten auch mitmachen, sie wollen diese Fotos – aber sie haben nie Zeit dafür. Das sagt doch alles, oder?

Stille und Zeit sind mittlerweile sehr wertvoll geworden, finde ich. Es ist unglaublich schwer, diesem Sog aus Erfolg und Stärke nicht nachzugeben, sich auf das zu besinnen, was wichtig ist und ganz Vieles einfach nicht mitzumachen. Mir tut diese Hast nicht gut, das habe ich gelernt, und deshalb leiste ich mir, so zu leben, wie ich das tue. Ich habe seit Jahren keinen Urlaub gemacht. Ich will jeden Tag so leben, dass ich keinen Urlaub brauche.

Und das mache ich. Was kann ich schon tun gegen dieses Laute, Grelle des Zeitgeistes, außer meine Bilder der Stille dagegenzuhalten und die Preise nicht am Kunstmarkt, sondern am Geldbeutel des Normalbürgers zu orientieren.

Inzwischen ist es auch mir hier manchmal zu viel. Deshalb vermieten wir von Zeit zu Zeit unsere Wohnung an Touristen und flüchten in eine Hütte in Brandenburg. Das genieße ich, aber gehen werde ich nicht. Ich weiß, ich werde mich noch mit achtzig meine Treppe hochquälen. Hier bin ich richtig. Ich muss hier leben.

Ich verabschiede mich und verspreche, ihr den Text noch einmal zuzumailen. In den nächsten Tagen werden wir eine anrührende Korrespondenz haben: Es geht um Lebensentwürfe, Selbst- und Fremdbilder und natürlich um die Frage nach Heimat. Meine ist nun ihre.

Kita-Casting oder Irgendwie klappt's dann doch

Stefan hat jetzt einen Extrajob. Außer dass er seit zwei Monaten mit dem kleinen Kyril zu Hause ist und zuverlässig sämtliche Aufgaben erfüllt, die damit verbunden sind, macht er sich zusätzlich immer wieder auf den Weg, um dem Jungen einen Kitaplatz zu besorgen. Sechs Monate ist Kyril jetzt alt, und nur sechs Monate hat Stefan noch, um diese lebenswichtige Angelegenheit zu regeln.

Denn lebenswichtig ist sie in der Tat. Für Stefan, für seine Frau Ute und natürlich für Kyril. Schon jetzt ist der Kleine so munter und kregel, dass Stefan seine liebe Not hat, ihn befriedigend zu beschäftigen. Und er möchte gar nicht wissen, wie das erst in einem halben Jahr aussieht. So wie Kyril heute über die Bodendielen der Prenzlauer-Berg-Wohnung robbt, wird er in wenigen Monaten womöglich bereits seine erste Playmo-Burg bauen wollen. Ganz klar: Dieses Kind braucht jede Menge Ansprache und Beschäftigung, schon allein damit es von all den gebotenen frühkindlichen Eindrücken auch mal in einen elternentlastenden Erschöpfungsschlaf fällt.

Stefan ist nun also unterwegs und schaut sich Kitas an. Drei, vier Besuche pro Woche, drei, vier telefonische Nachfragen erledigen – das ist ihm mittlerweile schon zur Gewohnheit geworden. Von einer lieben Gewohnheit zu sprechen, wäre stark übertrieben. Denn es ist doch so, dass da ein Mann durch die Gegend zieht und sein Superkind feilbieten muss wie Sauerbier. Bitte, bitte, nehmt es doch! Gut fühlt sich das nicht an.

Um die achtzig Kitas gibt es im Prenzlauer Berg. Eine Menge davon fallen gleich mal aus: religiös ausgerichtete, zweisprachige, waldorfpädagogische – Kyril soll einfach stinknormal betreut werden, finden Stefan und Ute. Auch Elterninitiativen, also solche, in denen die Eltern einmal pro Woche Mittagessen kochen oder die Zwergenklos putzen und sich außerdem andauernd mit den anderen Müttern und Vätern besprechen müssen, haben sie von der Liste gestrichen. Bleiben immer noch sechzig Einrichtungen, in denen Stefan vorstellig wurde und wird. In zwanzig hat er Kyril jetzt einfach mal angemeldet – »irgendwie klappt's ja dann doch meistens«, sagt er. Richtig fest klingt seine Stimme dabei nicht.

Die Gespräche in den Kitas nennt Stefan Eltern-Casting. In der Regel vollzieht sich das so, dass er irgendwann vormittags mit Kyril in der Kita erscheint. Sie werden herumgeführt, ihnen wird alles erklärt: hier die Küche, da das Spielzimmer, dies der Bastelraum und dort unser großer Garten. Stefan, der Kyril für derlei Besuche immer besonders hübsch anzieht, nickt zu allem und kann sich sehr gut vorstellen, hier jeden Morgen seinen Sohn in liebevolle Hände abzugeben. Aber dann, als es ans Eingemachte geht, erfährt er, dass da noch dreißig Kinder vor Kyril auf der Warteliste stehen. Was soll's, er ist nicht in der Position, sich darüber hörbar aufzuregen, gar zu mosern, dass er sich in diesem Fall den Weg hierher ins Kinderparadies hätte sparen können. Nein, er füllt brav die Anmeldung aus und speichert die Telefonnummer in seinem Handy ab, um von nun an alle vier Wochen anrufen und nachfragen zu können.

So wie Stefan machen das natürlich alle, hier im kinderreichen Prenzlauer Berg und in der ganzen Republik. Auf diese Weise verstopfen sich Eltern gegenseitig diese verdammten Anmeldelisten, und alle hoffen dann darauf, dass der Zufallsgenerator ihrem Kind das begehrte Plätzchen zulost, weil die anderen irgendwo einen besseren ergattert haben. Ein würdeloser Zustand. Aber dies hier ist der Bezirk mit Berlins höchster Geburtenrate sowie einer üppigen Zuzugsrate. Achthundert Kitaplätze fehlen. Das klingt nicht viel für einen Kiez, in dem hundertfünfzigtausend Menschen leben.

Dennoch, jede dieser Kita-Odysseen ins Ungewisse ist nervtötend, demütigend und peinigend für die Bedürftigen. In einer derart angespannten Angebot/Nachfrage-Situation geht es schließlich nur noch um das Ob und schon lange nicht mehr um das Wie. Theoretisch könnten also die Kita-Erzieherinnen die Kinder den ganzen Tag in einen lichtlosen Keller sperren – die Eltern müssten trotzdem froh sein, dass sich überhaupt jemand kümmert. Gott sei Dank ist es ja nicht so, aber tatsächlich liegt hier von Anfang an eine ungleichberechtigte Situation vor, in der sich Mütter und Väter dreimal überlegen sollten, ob sie tatsächlich über das aufgewärmte Großküchenessen mosern sollten, wenn sie hier einen Platz ergattern wollen.

Das war mal anders. Als Mitte der Neunzigerjahre meine Tochter einen Kitaplatz brauchte, ging ich zur zentralen Vergabestelle ins Bezirksamt und bekam dort Plätze in drei verschiedenen Kitas angeboten. Der Kindsvater und ich schauten uns alle an und entschieden uns schließlich für jene, die uns besonders gut gefiel. Das klingt wie eine familienpolitische Utopie, ist aber die reine Wahrheit und sollte – wie ich finde – das Standardangebot sein für Familien. Zugegeben, in den Neunzigern war dieser Bezirk kinderverarmt.

Die Ostlerinnen waren aufgrund des Wendeschocks in den Gebärstreik getreten, und die Westlerinnen, die bereits hier eingetrudelt waren, machten erst mal Party und glotzten Kinderwagenfrauen wie mich irritiert an. Krass, die hat 'n Kind!, dachten sie wohl und bestellten sich auf den Schreck noch einen Milchkaffee.

Ja, krass. Das denke ich auch, wenn ich mir anhöre, was Stefan von seinen Vorstellungsrunden erzählt. Neulich zum Beispiel war er mit Kyril in einer Kita, die ihm gut gefiel: gelegen in einer ruhigen Seitenstraße, großer Garten, klares pädagogisches Konzept, außerdem auch zwei männliche Erzieher. Als er der Chefin gegenüber reges Interesse bekundete und nach den Anmeldebögen fragte, bremste sie seine Euphorie mit der Frage: »Gibt's denn etwas, was Sie für die Kita tun können?« Stefan verstand erst nicht recht. Was meinte die Frau, wollte die etwa Geld von ihm? Nein, die wollte ihn. Irgendeine nützliche Eigenschaft, Fähigkeit oder Verbindung musste dieser interessierte Vater doch haben.

Auf der Skala der schlimmen Momente im Kinderverwahr-Business war dies für Stefan der allerschlimmste. Denn was war er denn schon? Ein fünfunddreißig Jahre alter Politikwissenschaftler, ohne festen Job, dafür mit Kind. Kein zupackender Papa, der bei einer Rollrasenfirma arbeitet und ganz unkompliziert den von hundert Kinderfüßchen zerlatschten Rasen flicken könnte. Auch kein Ingenieur oder Elektriker, der bei kleinen Problemen schnell mal die Kita-Spülmaschine reparieren würde. Nicht mal Journalist war er, dann hätte er wenigstens ab und zu mal einen Karton Kopierpapier rüberreichen können. In seiner stillen Verzweiflung bekam Stefan gerade noch raus, dass er trotz Promotion in der Lage sei, eine Bohrmaschine zu bedienen. Dann packte er Kyril und trollte sich.

Natürlich gäbe es eine Lösung für all die suchenden Eltern, zumindest eine logistische. Nämlich die zentrale Erfassung und Vergabe der Kitaplätze. Aber das wäre ja fast Sozialismus und deshalb inakzeptabel. Nein, nein, so etwas Wichtiges wie Kinderunterbringung wird extra kompliziert gemacht und dann so beibehalten. Das bietet den Eltern, den Kitas und der Verwaltung vielfältige Möglichkeiten, sich organisatorisch auszuagieren, schon vor der Geburt. Längst ist es Usus, dass Frauen, in deren Gebärmutterschleimhaut sich gerade erst eine befruchtete Eizelle zu teilen beginnt, die Möglichkeit wahrnehmen, Kita-Castings zu besuchen. Sie wissen noch nicht, ob die Schwangerschaft ein glückliches Ende nimmt – aber sie sollen bereit sein, ihre Rolle als Organisationstalent von Beginn an unter Beweis zu stellen.

Auch Stefan bleibt natürlich dran. Kyril und er haben noch sechs Monate Zeit. Kann sein, sie kriegen etwas. Kann aber auch sein, dass nicht. Dann wird Stefan eine arbeitsamtfinanzierte Handwerkerausbildung anstreben. Wer braucht schließlich Politologen? Er will lieber Zwergenklos reparieren lernen und Wippen gangbar machen. Vielleicht klappt's dann ja auch für Kyril.

Bruno mag nicht oder

Jetzt mal nicht so wild hier!

»Du, Bruno, jetzt mal nicht so wild!«, ruft die Frau. Es ist Sonntagmittag halb eins beim Vietnamesen, sie hat sich für das Treffen mit der befreundeten Mutter eine bequeme Strickjacke angezogen und die XL-Sonnenbrille aufgesetzt – trotzdem erkennt man auch auf fünf Tische Entfernung noch das quälende Nachtschlafminus der Mittvierzigerin. Weiß Gott, es ist hart, selbst am Wochenende um halb sechs Uhr morgens geweckt zu werden von einem Dreijährigen, der auf der Stelle etwas erleben will, den man aber aus pädagogischen Prinzipien nicht vor dem RTL2-Frühprogramm parken möchte.

Fünf Stunden sind seit dem ersten Morgenschrei vergangen, das Kind hat zu Hause die halbe Wohnung zerlegt, der Vater braucht Platz, um endlich mal das sauteure Shabby-Chick-Regal zusammenzuschrauben – gut, dass die Mutter ihre Freundin hat, mit der sie sich zum Lunch beim Vietnamesen verabreden kann.

Ich bin schon da. Ich war überhaupt schon vorher da, weil das kleine Restaurant nicht an einem der Hotspots des Prenzlauer Bergs liegt. Sondern jene manchmal entscheidenden sechzig Meter weiter, wo es sonnig ist und ruhig und es einen sensationellen Blick auf den Fernsehturm gibt.

Alles ist schön, ruhig, sonnig und lecker, bis Brunos gestresste Mutter und ihre Freundin hier eintreffen. Beide Frauen verfügen über jeweils zwei Kinder sowie insgesamt zwei wuchtige Kinderwagen und ein Laufrad. Dass Bruno Bruno heißt, war nicht zu überhören, weil dieser kleine Ausbund an Lebensfreude gleich zur Einstimmung eine Blumenvase vom Tisch gefegt hat. Also Bruno, denke auch ich: Nicht so wild, bitte!

Aber das ist natürlich zwecklos. Bruno hat einen halben Tag wochenendbedingten Wohnungsknast hinter sich. Wäre heute ein Wochentag, hätte sich der kleine Kerl im Kindergarten längst ausagiert. Zehnmal wäre er als Ritter ums Gartenrund gedüst, zwanzigmal im Tiefflug in die Kissenburg gesprungen, dreißigmal hätte er beim Mittagessen den schönsten Kartoffelbreikrater zur Explosion gebracht. Das muss jetzt alles nachgeholt werden. Zuerst einmal begibt sich Bruno auf die Knie und robbt zwischen den eng gestellten Gasthaustischen umher. Wo immer er besonders interessante Schuhe sieht, hebt er den Kopf auf Tischkantenhöhe und schreit zu seiner Mutter hinüber: »Mama, gaaaanz komische Füße hat die Frau!« Auch meine schwarzen Halbschuhe scheinen Bruno komisch vorzukommen. Er zieht sich an meinen Knien hoch, legt den Kopf in den Nacken und sagt: »Du bist ja lustig!«

Ja, Bruno, denke ich, ich bin lustig. Eigentlich jedenfalls. Aber hier und heute würde ich doch recht gern in Ruhe meine Wantan-Suppe löffeln und die grandiose Aussicht genießen. Ich zeige mit dem Finger Richtung Mutterschiff und sage: »Ich glaube, du kannst dir jetzt was Lustiges zu essen bestellen, guck mal, deine Mama wartet auf dich.« Und ja, sie wartet auf ihn, und auch der Kellner steht schon mit dem Schreibblock bereit. »Bruno«, ruft seine Mutter über die fünf Tische herüber, »magst du eine Mangolassi?« Gegenfrage: »Was ist das?« Antwort: »Das ist Obst mit Joghurt zum Trinken! Magst du das, Bruno, ja, magst du das?«

Nichts für ungut, aber solange ich denken kann, möchte ich bei dieser Formulierung brechen. Magst du dies, magst du das? Das ist nicht nur unzureichendes Deutsch – einem dreijährigen Kind wäre meiner Meinung nach eher geholfen, wenn es einen handfesten Fragesatz serviert bekäme. In diesem Fall lautete er: Bruno, möchtest du etwas trinken? Wenn ja, komm her und wir besprechen alles Weitere.

Zum anderen offenbart sich in dieser Frage, was den Unterschied an Lebenserfahrung und Kompetenz zwischen Kindern und Erwachsenen ausmacht. Denn mögen soll doch der Nachwuchs alles, was er tut und kriegt. Und wenn er mal was nicht mag, mündet das in dieses knautschig gegreinte, geweinte, geschriene »Dasmagichniiiicht!« Ein Satz wie eine Säge. Beispiel gefällig? Gerade war ich Zeugin eines Magst-du-Dialogs in einem sehr angesagten Schuhgeschäft hier im Viertel. Es frühlingte heftig, die handgefertigten Biolederkreationen waren ansprechend preisgesenkt. Schnäppchenzeit für jene, die sich keine 280-Euro-Stiefel leisten wollen, da mögen die Leder spendenden Ziegen und Rinder noch so glücklich gelebt haben und gestorben sein.

Während ich dort also auf einem unbequemen Hocker saß, ein Paar praktische Winterstiefel anprobierte und darüber nachdachte, ob antizyklisches Kaufen tatsächlich den modischen Trend des kommenden Winters klug voraussehen kann, enterten Mutter und Tochter den Laden. Die Frau hatte im Gegensatz zu mir offenbar beneidenswert kleine Füße, weshalb sie gleich ein sehr schönes, sehr preiswertes Paar rote Boots fand. Innerlich beglückwünschte ich die Frau zu ihrem guten Geschmack, das waren ja vielleicht mal tolle Schuhe! Sie klemmte sich auf den Hocker neben mir, streifte sie über, schloss die silbernen Schnallen und sah damit einfach glänzend aus.

Aber nun ging's los: »Alma«, sprach sie ihre Tochter an, »Alma, magst du die? Soll die Mama sich die kaufen?« Alma war schätzungsweise zwei. Ein Kleinmensch mit altersentsprechendem Geschmack und einem langen Kitatag hinter sich. Ich bin sicher, Alma wird später, wenn sie groß ist, eine Menge von Schuhen verstehen, aber heute war es einfach noch nicht so weit. Trotzdem, Alma hatte eine Meinung. Und zwar? Na? »Magichniiiich!«, jaulte sie durch den Laden. Klar, hätte ich auch gesagt, wenn ich nach Hause zu meinen Bauklötzchen wollen würde. »Aber die sind doch hübsch«, intervenierte Almas Mama, »also ich mag die.« Worauf Alma ihr Urteil lautstark wiederholte. Und was tat Almas Mama? Sie zog die Schuhe aus, ging vor ihrer Tochter in die Hocke und sagte: »Na dann stellt sie die Mama wieder zurück.«

Ich überlegte kurz, entweder dieser sympathischen Frau in den Arm zu fallen oder sie in den Arm zu nehmen und sie zu drängen, sich jetzt diese verdammten Schuhe zu kaufen – schon um Alma zu zeigen, wie der Hase ab heute läuft. Aber ich spürte auch eine gewisse Grunderschöpfung, ein Hadern und Zagen bei ihr. Was ist angemessen in einer Beziehung zu einem Kleinkind? Wie viel Frustration verträgt Alma, wie viel Magichnicht ihre Mama? Heute war offenbar noch nicht der Tag, an dem das zwischen den beiden ausgekegelt würde.

Zurück zu Bruno. Der überlegt, an meine Knie gekrallt, immer noch, ob er Mangolassi nun mag oder nicht mag. So sehr beschäftigt ihn die Frage seiner Mutter, so lange muss er grübeln, dass er in einer körperlichen Übersprungshandlung entschlossen an meinem Tisch rüttelt. Es geschieht, was geschehen muss: Meine Wantan-Suppe folgt den Gesetzen der Physik und ergießt sich über seine kleinen Hände und anschließend über meine Knie. Großes Geschrei und Gerenne.

Der Kellner kommt mit Lappen und konfuzianischem Lächeln herbei, und auch Brunos Mama ist nun doch mal da. »Was soll denn das?«, blafft sie mich an, »das haben Sie doch absichtlich gemacht!« Ich schaue sie zweifelnd an und überlege kurz, ob ich ihr mal ausführlich meine Ansichten zum Themenkomplex Kleinkinder, Mangolassi und Magst-du-Fragen darlege. Bruno schreit und schreit – so heiß war die Suppe nun auch nicht mehr, denke ich. Aber die beiden haben es eh schon schwer genug. Brunos Mama, weil ihre geruhsame Sonntagsverabredung gerade den Bach runtergeht. Und Bruno, weil er immer noch vor der Frage steht, was er nun mögen soll. Dass ich mit meinen lustigen schwarzen Halbschuhen und der lebensbedrohlichen Suppe eindeutig nicht in diese Kategorie falle, das hat ihm seine Mutter ja gerade vermittelt.

Edel-Eltern auf Reisen oder

Du musst machen, dass das burnt

Um mal was anderes zu sehen als immer nur ausgestellte Familienherrlichkeit oder pädagogische Willfährigkeit, fahre ich übers Wochenende mit Sibylle ins Grüne. Drei Tage Auszeit vom Muttibezirk: Hotel, Spa, gute Küche, volles Programm. Für den Saunaruheraum habe ich mir »Mutter« von Rammstein auf den iPod geladen, ich will nachdenken über die Frage, warum Elternthemen eigentlich immer so durch die Decke gehen. Warum ich, wenn ich davon erzähle, was für ein Buch ich gerade schreibe, automatisch diese Reaktion bekomme: »Ha, schreib das alles auf! Die gehen mir ja so auf die Nerven.«

Frage ich dann genauer nach, kommt meist gar nicht so viel. Eher so allgemeines Gegrummel und Genörgel von Leuten mit Kindern, die sich von den Prenzlauer-Berg-Müttern nur insofern unterscheiden, als sie gerade mal vierhundert Meter weiter im benachbarten Stadtbezirk wohnen und deshalb meinen, etwas ganz anderes darzustellen als ihre gescholtenen Geschlechtsgenossinnen. Um ehrlich zu sein machen einige dieser Frauen, die mich anspornen, mal richtig auf ihren Mitmüttern rumzuhacken, auf mich den Eindruck, als würden sie mich in selbstverletzender Absicht um Schmähungen bitten. Wie kommt das bloß?

In der ländlichen Idylle angekommen, wandere ich mit

Sibylle um den kleinen grünen See, der praktischerweise gleich neben dem Hotel ans Ufer schwappt. Wir reden darüber, woher diese stutenbissige Missgunst rührt und ob all diese Väter und Mütter in den Familienbezirken da möglicherweise etwas ins Werk setzen, was wir als Eltern einst so nicht hingekriegt haben: gute Planung, richtiges Familienleben, volle Aufmerksamkeit fürs Kind, Qualitätsbildung und -versorgung. Was ist daran eigentlich falsch, frage ich. »Klar habe ich meine Kinder auch lieb gehabt. Aber Liebe – gut und schön. Reicht die? Hätte ich sie doch mehr Richtung Spracherwerb und Reiten drücken sollen, statt sie nach dem Abendessen vor den Simpsons abzustellen?«

»Nichts gegen die Simpsons!«, mahnt Sibylle. »Ein bisschen ist es doch wirklich so gewesen, dass unsere Töchter mit uns fast schon nebenher groß geworden sind. Wir haben manchmal ganz schön improvisiert, vor allem, wenn es um den Job ging. Aber«, und jetzt wird Sibylles Stimme gefährlich laut, »ich lass mir von den Macchiatotussis doch nicht erklären, was ich falsch mache. Lucia kriegt nächste Woche ihr Zeugnis: Einskommaeins in der elften Klasse! Und das als Kind einer alleinerziehenden, voll arbeitenden Mutter? Irgendwas muss ich wohl richtig gemacht haben.« Ich klopfe Sibylle auf die Schulter. Selbst meine schlagfertige Freundin geht gerade mal wieder ab wie Lumpi beim Thema neue Eltern. Zeit, ins Hotel zurückzugehen und uns eine Runde Entspannung in der Sauna zu gönnen. Wir kochen wie vorgesehen unsere Körper und hauen uns danach auf die Ruheliegen, ich mit Rammstein im Ohr, Sibylle löst Kreuzworträtsel. Das Leben kann so einfach sein, wenn man mit sich und der Umwelt harmoniert. Wozu nur all der Streit?

Abends im Hotelrestaurant serviert uns die Kellnerin gerade das Spargelmenü, als wie aufs Stichwort eine geradezu klassisch zu nennende Edel-Eltern-Familie den bis dahin lediglich vom Knistern des Kaminfeuers erfüllten Raum entert. Ein später Vater, eine nicht so späte Mutter sowie die gemeinsamen Söhne. Die drei kleinen Lockentrolle, mit denen ihre Eltern mal auf Deutsch, mal auf English kommunizieren, bringen im Handumdrehen »die Verhältnisse zum Tanzen«, wie man das früher formuliert hätte. Sie lärmen und stören, kreuzen munter durch den Gastraum, werfen ihre schweren Holzstühle um, spucken angewidert ihre Vorsüppchen über den Tisch und fordern lautstark von der Kellnerin, sie möge unverzüglich Kaminholz nachlegen. »Du musst machen, dass das burnt!« Die Serviererin ist dienstbar, ihren Job in diesem guten Hotel verdankt sie nicht nur ihrem möglicherweise guten Schulabschluss, sondern auch einem gerüttelt Maß an Duldungsfähigkeit in diesem Landstrich, den besorgte Bundespolitiker gern strukturschwach nennen. Kurzum, sie tut, wie ihr geheißen und legt Holz nach. Die Buben geben nun eine Minute Ruhe.

Sibylle und ich schauen uns tief in die Augen. Welches Schicksal hat uns denn dieses Horrorquintett hierhergezaubert? Gerade waren wir dabei, in die versöhnliche, ja beinahe selbstkritische Phase einzutreten – da tauchen diese Nervensägen auf. An Reden ist nicht mehr zu denken. Wir essen, schweigen und beobachten das muntere Treiben im Gastraum, das Getöse, Genöle und Gerenne. Die Mutter ist damit beschäftigt, in ihren hohen Riemchensandalen ihre Kinder abwechselnd aufs Klo, nach draußen, zum Feuer oder zum Stören der anderen Gäste zu begleiten. Den späten Vater hingegen schert all das nicht. Wozu gibt es Personal? Er öffnet die Knöpfe seines Dinnerjackets, nestelt die Lesebrille hervor, streicht sich versonnen durch die vollen grauen Locken und bestellt bei der Kellnerin »das Lammkarree medium und dreimal Kartoffelpüree für die Jungs«. Seine Frau ist gerade mal wieder nicht da, um auch mal einen Blick in die Karte zu werfen.

Fünfzehn Minuten später kommt das Essen für Daddy und die Jungs. Mummy ist unterwegs. Das Biolamm streckt anmutig seine Rippchen Richtung Gasthausdecke, die drei Breiteller schimmern in goldbrauner Butter. Doch irgendetwas scheint nicht zu stimmen. Die Trolle verfallen in ein bilinguales Geheule, weil die Küche es versäumt hat, den Kartoffelpamps in Vulkanform anzurichten und die Butter in den dazugehörigen Krater zu füllen. Daddy winkt mit schlaffer Hand der Kellnerin und fordert sie auf, diesen unhaltbaren Zustand zu beseitigen und »den Jungs« Vulkanbrei aufzutragen. Und so geschieht es.

Als kurz darauf goldgelbe Krater aufgetragen werden, haben die Trolle keinen Appetit mehr – die Kellnerin kann »das« gleich wieder mitnehmen. Und da taucht auch wieder die Mutter auf, im Arm hält sie den kleinsten Troll, er ist müde geworden und eingeschlafen. Und nun ist es auch Zeit für Mama zu essen. Sie setzt sich auf ihren Stuhl und gabelt – den Kleinsten auf dem Schoß – ein bisschen in Papas Lammresten herum. So dünn, wie sie ist, scheint das für sie eine vollwertige Mahlzeit zu sein.

Sibylle und ich schauen uns über unsere Teller hinweg an. Was genau stört uns hier eigentlich? Es ist das Edel-Eltern-Prinzip. Zwei Erwachsene entschließen sich, mit ihren drei Kindern in ein Hotel zu reisen und dort ihren Mitgästen einen kleinen Auszug aus ihrem Alltag zu präsentieren: mittelalterliches Rollenverständnis, gepaart mit schlechtem Benehmen. Machen sie dabei etwas falsch? Im Grunde nicht. Sie haben ja dafür bezahlt, dass sie sich hier wie zu Hause fühlen können. Machen sie etwas mit den Kindern falsch?

Nein, denn die Kinder kennen es nicht anders. Stören sie ihre Umgebung? Ja. Aber diese anderen – also Kinderlose wie zum Beispiel Sibylle und ich – sollen einfach die Klappe halten und weiteressen. Sonst burnt's!

Casual Friday oder

Komm, lass uns Spaß haben

Es ist gar nicht so leicht, Elternschaft und gelungene Freizeitgestaltung miteinander zu verbinden. Was das betrifft, weiß ich, wovon ich rede. Als die Kinder klein waren, beschränkte sich unser Ausgehverhalten darauf, die Oma oder eine Singlefreundin als Babysitter zu engagieren. Erstere, damit sie die Enkel in unserer Abwesenheit nach allen Regeln der Kunst verwöhnen konnte, und Letztere, um ihr mal einen Blick in ihre Zukunft als Mutter zu ermöglichen und ihr die Option zu eröffnen, sich rechtzeitig dagegen zu entscheiden.

Hatten wir die Wohnung verlassen – die Schreie der Kinder hallten uns noch durchs Treppenhaus hinterher –, wussten wir oft gar nicht recht, etwas miteinander anzufangen. So gefangen waren wir im täglichen Vierundzwanzig-Stunden-Kinder-Modus, dass der Draht zwischen uns, was Vergnügungen und Coolness angeht, auf Spinnwebdünne zerschlissen war. Was kann man schon machen mit ein paar Stunden gemeinsamer Zeit? Essen, Kino ... danach noch einen Absacker trinken. Ein mittelmäßiges Angebot für ein Paar, das sowieso jeden Tag fünfmal in logistischen Angelegenheiten telefoniert und abends zwischen Esstisch, Badezimmer und Kinderbetten rotiert – also im Großen und Ganzen ständig miteinander zu tun hat – und bei dem es vor allem um ein Thema geht: die Kinder und deren Einpassung in unsere Bedürfnisse und Obliegenheiten als Werktätige.

Nun sollten wir uns also amüsieren. Ich weiß nicht, wie es anderen Paaren geht. Aber wir neigten bei derlei Gelegenheiten dazu, uns erst mal ausgiebig zu streiten. Wann kamen wir schon mal dazu? Also nutzten wir unsere drei, vier Stunden, die virulenten, im Alltagsstress unterdrückten Konflikte auszusprechen und ausgiebig zu diskutieren. Oft genug schafften wir es nicht mal bis zur Kinokasse, sondern verbrachten unsere Zeit lieber damit, durch die Straßen von Prenzlauer Berg, Mitte oder Kreuzberg zu ziehen, uns dabei in halblautem Ton anzuzischen und wechselseitig das Spiel Ich-bleib-jetzt-einfach-stehen-du-bist-so-gemein-zu-mir zu spielen. Völlig erschöpft kehrten wir gegen Mitternacht heim, wo der Babysitter nicht merken durfte, dass die Ausgeheltern alles andere als Spaß gehabt hatten.

Als die Kinder größer wurden, entspannte sich die Lage zusehends. Wir waren nun in der Lage, ganz und gar freiwillig auszugehen, Zeitlimits waren ein Schrecken der Vergangenheit. Heute amüsieren wir uns nach Strich und Faden und so lange wir wollen und erinnern uns ungern daran, was für ein spaßbremsendes Paar wir mal waren. Auch die Kinder nutzen ihre altersentsprechenden Freiheiten. Sie verabreden sich zum Chillen und sicher auch zu Alkohol- und Drogenexperimenten. Tagsüber herrscht am Wochenende Ruhe im Häuschen am Ende der verkehrsberuhigten Sackgasse – die Damen erholen sich von ihren nächtlichen Aktivitäten.

Dass es im Ausgehsegment inzwischen anders läuft, erzählt mir Freundin Gina. In der bilingualen Privatschule ihrer Tochter nämlich nehmen die Eltern das Paaramüsement ganz professionell in die eigenen Hände: Sie organisieren sich einen Tanzabend, und den nennen sie dann Parents Disco. Als

Gina mir davon erzählte, wollte ich es erst nicht glauben. Reichen diesen Müttern und Vätern nicht die quälend langen Elternversammlungen, die sie miteinander verbringen müssen? Haben die keine anderen Freunde? Können die sich wirklich alle leiden? Und wäre es nicht angemessener, auf eigene Faust in einen Club zu gehen? Nein, sagt Gina und erzählt, dass der Wunsch nach einer eigenen Tanzveranstaltung entstanden ist, weil die Schüler der Mittelstufe schon eine Disco hatten. Zu Hause hatten die Kinder dann erzählt, das sei so ein toller Abend gewesen, dass ihre Eltern eine Art Regressionsschub erlitten und nun auch noch mal ganz, ganz jung sein wollen. Na, sagte ich, das will ich sehen.

Am Freitagabend um acht machen wir uns auf den Weg. Still liegt der Schulhof – aber da, ganz oben unterm Dach, sehen wir grün-orangefarbige Lichtkonvulsionen, und jetzt, ja, jetzt hören wir auch dumpfe Bässe. Hier sind wir richtig, hier geht's ab. Am Eingang stehen Kalle und Harry, die Hausmeister der Schule, und spielen Doormen. Ja, sagt Harry, er stehe hier, um ungebetene Gäste fernzuhalten, die Eltern wollten unter sich bleiben und schließlich sei der Stadtbezirk ja nicht nur Familien-, sondern auch Ausgehgegend. Er lacht wissend. Da hat Harry recht, hier kann nicht jeder rein. Aber wir.

Gina und ich erklimmen die Treppen bis unters Dach, in der Schulkantine haben helfende Hände die Tische und Stühle an die Wände geschoben. Sofas und Nussschälchen suggierieren Lounge-Atmosphäre, aus den hinteren Räumen bollert Neunzigerjahre-Rock, grün-orange erleuchtet dreht sich die Discokugel unter der Decke. An der zur Theke umfunktionierten Essensausgabe gibt es Becks, Bionade und Brezeln. Für gehobene Ansprüche Cremant, den Prosecco dieses Jahrzehnts.

Eltern sind auch da. Und zwar gar nicht so wenige. Ich sehe Anzugmänner und Stiefelfrauen in Bürokluft, Lesebrillen und graues Haar. An der Fensterseite hat sich eine iPhone-Gruppe gebildet, deren Mitglieder entweder den Babysittern fernmündlich letzte Instruktionen erteilen oder noch dringende Geschäfte zu regeln haben. Also alles in allem ein musikuntermaltes Stehrümchen, wie man sie auch von Vernissagen und Betriebsweihnachtsfeiern kennt. Ein casual Friday der Turboelterngeneration.

Einige der Männer und Frauen kenne ich aus Funk und Fernsehen, sie sind Journalisten, Schauspieler, Buchautoren, Maler. Und die da hinten mit der sehr auffälligen Vintagebrille – ist das nicht die Hauptdarstellerin einer gar nicht mal so üblen Vorabendserie? Ja, sie ist es. Mein Provinzlerherz hüpft vor Freude über die Möglichkeit, diese wichtigen Eltern und Kulturschaffenden quasi in freier Wildbahn beobachten zu dürfen.

Gina ist in Gespräche vertieft, und ich nutze die Gelegenheit, mich mal wieder zu »Losing my Religion« von REM zu drehen. Als gleich darauf ein Engtanzsong erschallt, trolle ich mich von der Tanzfläche. Und wen sehe ich? Einen alten Schulfreund, fast hätte ich ihn nicht erkannt mit seinem Ralph-Lauren-Hemd und der Gelfrisur. Er weiß auch erst mal überhaupt nicht, wo er mich einordnen soll. Es fängt gerade an, peinlich zu werden zwischen uns, da schickt er sich doch noch an, sich über unser Wiedersehen zu freuen.

Was ist aus ihm, dem Ostler, geworden? Chris ist viel rumgekommen in der Welt, gerade ist er von Vancouver nach Berlin gezogen, um nun hier zu arbeiten. »Und was machst du?«, frage ich. »Ich versuche, die Welt zu einem besseren Ort zu machen«, antwortet er und drückt auf seinem iPhone einen Anruf weg. Weil ich einen Scherz vermute, grinse ich verständnisinnig. Aber es ist kein Witz, Chris baut in der Hauptstadt gerade eine wichtige Stiftung auf, und wenn sein Sohn, der ja hier Schüler ist, ihn fragt, was er im Unterricht über den Job seines Vaters sagen soll, gibt er ihm die gleiche Antwort: Sag ihnen, dein Vater versucht, die Welt zu einem besseren Ort zu machen. »Tja«, sage ich zu Chris, »ich schreibe nur Texte und hoffe, dass die Leute sie lesen.« »Das ist auch okay«, beruhigt er mich. Wir tauschen unsere Visitenkarten aus und versprechen uns, uns nicht mehr aus den Augen zu verlieren, das Übliche.

Ich kaufe mir ein Bier, kralle eine Hand voll Nüsschen und stelle mich wieder zu Gina. Sie erörtert mit einer Mitmutter die noch gar nicht so lange zurückliegende Schülerdisco der Mittelstufe. Dort, so höre ich, habe es einige Verwirrung bezüglich des Dresscodes gegeben. Weil die Schulleitung die Jugendlichen zuvor nicht ausreichend informiert habe, seien einige Eleven in Ballkleidern und Anzügen erschienen, andere – auch die Tochter der Mitmutter – in Jeans und T-Shirt. Eine atmosphärische, ja kulturelle Kluft habe sich an diesem Nachmittag aufgetan zwischen denen, die einfach nur mal rocken wollten, und denen, die die Tanzveranstaltung als Anlass sahen, an ihrem stilgerechten gesellschaftlichen Auftritt zu feilen.

Traurig sei ihre Tochter nach Hause gekommen, erzählt die Mitmutter und nimmt einen Schluck Bier. Denn am Schluss der Disco seien überraschend die fünf besten Outfits prämiert worden. Wer sich also brav in ein Abendkleid gezwängt und die jungen Füße in Riemchensandalen gesteckt hatte, wurde dafür belohnt. »Was waren das denn für Preise«, frage ich. Es stellt sich heraus, dass die Kinder iTunes-Gutscheine geschenkt bekommen haben, mit denen man auf sein iPhone Musik oder Spiele laden kann. »Wahnsinn«, sage ich, »das würde ja bedeuten, dass jede und jeder Halbwüchsige an dieser Schule ein Apfeltelefon haben muss.« »Ja«, sagt die Mitmutter, »das bedeutet es, und deshalb hielt sich die Trauer meiner Tochter auch in Grenzen – sie hat nämlich keins. Jedenfalls noch nicht.«

Kein Wunder, denke ich auf dem Nachhauseweg, dass die Glücksbezirkseltern nicht gerade krachende Partys feiern. Die müssen sehen, wie sie die monatlichen Raten für die Telefone ihrer Kinder erarbeiten. Was kommt als Nächstes? Werden bald Obligationsscheine für gutes Aufessen ausgeteilt, Bauhauslampen oder ein Mies-van-der-Rohe-Sofa für eine Eins in der Klausur, und bei bestandenem Abitur wird das Wohneigentum übertragen? Es ist wirklich nicht leicht für Eltern, gut drauf zu sein.

Tinas und Lydias Klub oder Am falschen Ende der Schönhauser

Es ist ein lauer Montagabend, ich befinde mich am falschen Ende des Prenzlauer Bergs. Hier, wo die Schönhauser Allee gen Norden kippt, ist die Welt noch normal. Also so normal wie überall dort, wo ein Gemisch aus vielen und vielem das Straßenbild dominiert: Männer, Frauen, Kinder, Alte, Junge, Arme, Reiche, Migranten, Penner, Zeigefrauen und Checkerjungs. Es gibt normale Geschäfte wie Bäcker und Fleischer, Zeitungskioske und Pfennigläden. Dazwischen findet man Sportbars, Wettbüros, verrauchte Kneipen und Discounter. Das hier ist auch der Prenzlauer Berg, aber er ist nicht aufgeräumt.

Tina wohnt Parterre. Als sie mir die Tür ihrer Zweizimmerwohnung öffnet, schlägt mir jene ziegelige Kälte entgegen, die solch klamme Erdgeschossbutzen wohl nie verlieren. Es ist acht Uhr abends, Tina ist gerade erst von der Arbeit nach Hause gekommen. Ihre fünf Jahre alte Tochter ist auf Kitareise und braucht deshalb heute keine Gutenachtgeschichte. Darum passt es auch so gut mit uns beiden. Wir wollen uns darüber unterhalten, wie es ist, alleinerziehend und finanziell klamm zu leben in einem Stadtbezirk, in dem Familie das erstrebenswerte Ideal zu sein scheint, das so gern präsentiert und zum Maßstab gemacht wird.

Natürlich ist dieses Mutter-Vater-Kind-Ideal so unsinnig

wie jedes Klischee. Ein Viertel der Familien im Prenzlauer Berg werden von Alleinerziehenden gemanagt, jedenfalls ist das die Statistik. Aber Tina ist wirklich eine Frau, die allein ist mit Kind. Die keinen Mann hat, keinen alimentierenden Vater oder Eltern mit Geld. Die alles selber macht. Und trotzdem höre ich kein Wort des Jammerns von ihr. Im Gegenteil, wir haben einen lustigen Abend, voller bösartigem Tratsch.

Tina ist viel rumgekommen. Sie stammt aus Niedersachsen, hat als Reiseverkehrsfrau tatsächlich die ganze Welt gesehen und überall gefeiert, lange hat sie in England und Frankreich gelebt. Sie war vierzig, als sie schwanger wurde, und bekam das Kind. Dass der Vater, ein Franzose, längst nicht mehr mit von der Partie ist, ist ihr recht: Sonst hätte sie sich gleich auch noch um den kümmern müssen, nee! Kurz nach der Geburt, vor fünf Jahren, zog Tina nach Berlin. Ohne Wohnung, ohne Job, aber mit Kind. Dass die deutschen Ämter es ihr, der Frau aus dem Ausland, mit ausgefeiltem Antragshorror schwer gemacht haben, würde sie so nicht formulieren, Tina sagt: »Ich dachte: Hallo?! Liebe Leute, wir sind hier in Europa!«

Mittlerweile hat sich alles eingepegelt, sie hat eine halbe Stelle in einem Reisebüro, sie hat eine kleine, kalte Wohnung und ein wunderbares Kind. Und sie hat sich hier in der Ecke ihren eigenen Kreis gesucht. Denn das ist ihr – zurück in Deutschland, im Prenzlauer Berg – gleich aufgefallen: dass es hier eine Art »familiären Gruppenzwang« gibt, eine ausgestellte Lebensweise, in der offensiv gezeigt wird, dass und wie man alles richtig macht. Und zwar so massiv, wie sie das nirgends auf der Welt bisher erlebt hat. »Richtig angezogen sein, das Richtige essen, richtig stillen – das ist definitiv nichts für mich«, sagt sie.

Neulich hat Tina an einer Ladentür ein Buggy-Verbotsschild entdeckt. Zufahrtsverbot im Kinderbezirk? Über so etwas lacht sie, denn sie fühlt sich damit nicht gemeint. Im Gegenteil, sie lästert über die Frauen, die mit den Tausend-Euro-Karren durch den Prenzlauer ziehen: »Die schieben ja kein Kind, die schieben da 'nen Goldbarren.« Und Goldbarren besitzt sie nicht. Wir knacken uns zwei Bierchen, und aus dem Nachbarhaus kommt Tinas Freundin Lydia herüber. »Du schreibst ein Buch? Frag mich! Ich komm von hier.«

Die lautstarke Frau mit den großflächigen Tattoos ist als Kind mit ihren Eltern ausgereist, vor sechs Jahren ist sie zurückgekommen in den Prenzlauer Berg. Sie ist jetzt dreißig, hat zwei Kinder von zwei Männern und fühlt sich sauwohl am falschen Ende der Schönhauser. Hier wird noch berlinert, das ist für sie wichtig. Lydia ist Erzieherin, mit einer Freundin hat sie eine Kita für Kleinkinder eröffnet. Um vier Uhr schließen sie, da hat sie rechtzeitig Feierabend, um ihre dreijährige Tochter abholen zu können, ihr Sohn ist schon neun und geht allein vom Hort nach Hause. Alles geht, wenn man will.

Lydia und Tina sagen, dass sie zu spät hierher gezogen sind. Zu spät, weil die Party, die hier im Prenzlauer Berg mal abgegangen ist, längst vorbei ist. »Hier konnte man früher abstürzen«, schimpft Tina, »heute haben die Leute alle einen Stock im Arsch. Ab zehn ist hier Schicht, nix mehr los. Haben die keinen Bock mehr auszugehen, oder was?« Traurig für Berlin, finden die beiden das. Sogar im Prater, dem riesigen alten Biergarten, wird jetzt früher die Musik runtergedreht – überall Leute, die sich beschweren! Tina und Lydia vermuten, da jammern genau jene, die hier noch vor zehn Jahren gröhlend durch die Straßen gezogen sind, Bier und Kippe in der Hand – dit is Berlin! Heute haben sie Kinder und wichtige Jobs und finden deshalb, dass es mal genug ist mit dem ganzen Lärm in der Stadt.

Lydia und Tina machen das jetzt anders. Wenn sie ausgehen, schettern sie rüber nach Mitte – »Mitteschnitten schubsen«. Dort sind noch Reste von Nachtleben vorhanden, wenn auch sehr touristisch. Die Leute, die da leben, sind tatsächlich ein bisschen anders gestrickt: reicher, stylisher und vielleicht wegen der Weltläufigkeit auch ein bisschen toleranter. Ach, Berlin! Man darf gar nicht drüber nachdenken, dass zwischen dem einstigen Ausgehbezirk Prenzlauer Berg und dem rudimentär noch vorhandenen in Mitte gerade mal zweitausend Meter liegen. So klein und verkiezt ist diese Stadt.

Tina und Lydia jedenfalls gehen jetzt einfach runter nach Mitte, sie gehen in einen Club oder auf eine Ausstellungseröffnung und praktizieren eine schöne Sitte, die Tina aus den englischen Pubs mitgebracht hat: die Cocktailrunde. Sie trinken ein Bier, kurven anschließend los durch den Laden und trinken herrenlose Gläser aus. Das macht Spaß und spart. Anschließend stellen sie sich an die Theke und beobachten, wie die anderen Gäste in ihr leeres Glas schauen. Spitzenwitz! finden sie.

Es muss halt ein bisschen krachen. Denn ansonsten sind ihre Leben ja ziemlich durchorganisiert. Die Jobs, die Kinder, die Männer. Auf die Frage, was sie glücklich macht, sagt Lydia: »Trash-TV, Big Brother gucken, kostet nix und entspannt mich komplett.« Ich schreibe das mit und finde Lydia unglaublich cool.

Sie kriegen alles hin, ganz einfach. Ohne Masterplan, ohne Karriereknick, einfach mit Freude am Leben. Ist es tatsächlich so einfach? »Du musst schon deinen Arsch bewegen, Netzwerke knüpfen. Und dich fernhalten von den Kollwitzplatztussis – die machen nur Druck«, sagt Tina. Die beiden haben sich bei einer Krabbelgruppe für Babys Alleinerziehender kennengelernt. Sie sind da hingegangen, obwohl sie dachten: Was für ein Gesabbel wird das da werden, die werden nur über Kinder quatschen. Aus der Zweckgemeinschaft von vor fünf Jahren ist inzwischen ein eingeschworener Klub geworden, dem noch viele andere Frauen angehören. Einer, in dem nicht die Prenzlauer-Berg-Gesetze herrschen. Einer, dessen Mitglieder gar nicht erst bis zum Kollwitzplatz vorstoßen.

Sie treffen sich nachmittags hier, am falschen Ende des Prenzlauer Bergs, nach der Kita auf dem Spielplatz. Sie quatschen, sind vernetzt. Und sie trinken Bierchen in der Nachmittagssonne. Sie sind bewusst anders als jene Macchiatomütter, von denen sie finden, dass die zwar ganz sympathisch aussehen, aber einander nur argwöhnisch beäugen und dabei ihre Kaffeebecher nervös in den Händen drehen. »Stempelkärtchen-Mütter« nennt Lydia sie wegen der Rabattmarken, die sie für den Macchiato kriegen. Sie tun ihr leid. Und dann rauchen wir zusammen eine Tüte und lassen diesen witzigen und ehrlichen Abend ganz entspannt ausklingen.

Vergesst es! oder Schreifolter im öffentlichen Raum

Nur wenige Meter rechts aus der Haustür befindet sich das Café meiner Wahl. Gelegen zwischen Thai-Restaurant und Retrochick-Möbelladen herrscht da eine für diese Gegend geradezu erwachsene Ruhe und Gelassenheit. Der Wirt, ein kleiner drahtiger Kerl, braut guten spanischen Kaffee in für eine Kleinstädterin wie mich ungekannten Variationen. Bei jedem Besuch probiere ich im Rahmen meiner Berliner Geschmeidigkeitsinitiative etwas anderes aus: Espresso, Americano, portugiesischen Galão, Cortado oder einen knallsüßen Bombón, einen starken Espresso mit Kondensmilch. In der Vitrine warten leckere Törtchen und Kekse, und auf einem Tisch liegen unzerfledderte Tageszeitungen und ein paar People-Magazine. Es gibt keine Kinderstühle oder Malbücher hier, und es liegt ein Zauber auf dieser Kaffeeschenke, der Menschen umfängt, die der Ruhe und Gelassenheit bedürfen.

Diese Ruhe jedoch wird heute empfindlich gestört. Als ich draußen auf der hellblauen Bank einen Galão schlürfe und lebenswichtige Nachrichten aus europäischen Königshäusern lese, nähern sich meinem gemütlichen Ausguck drei Menschen auf drei verschieden großen Fahrrädern. Mutter, Vater, Kind, was sonst. Schon von Weitem gellt ein Ruf durch die Straße. Aus voller Kehle jault das Kind: »Ich bin so müüüüüüüde! Ich kahann nicht meher! Ich bin so müüüüüüüüüüde! Wann sind wir daha?« Im Gegensatz zu ihrem Gejaule tritt sie recht kräftig in die Pedale – es handelt sich offenbar um eine Art Psychofolter. Und tatsächlich, im Näherkommen sehe ich, dass der vorneweg fahrende Vater kurz vorm Explodieren ist. Direkt vor mir, vor meinem Zaubercafé, bremst er plötzlich scharf und spricht zu der kleinen Clownsfrau: »Ja, Malika, ich hab dich sehr gut gehört. Wenn du so müde bist, fahren wir jetzt nicht zum Spielplatz, sondern nach Hause und du gehst dann sofort ab ins Bett.«

Er hat noch nicht ganz zu Ende gesprochen, als unter großem Geschepper das Fahrrad seiner Tochter aufs Pflaster kracht. Sie ist zwar zu schwach, um bis nach Hause zu strampeln, aber nicht zu schwach dafür, ihr Zweirad aufs Trottoir zu schmettern, direkt daneben auf dem Gehweg zusammenzubrechen und dabei eine Lärminstallation im öffentlichen Raum zu errichten, sodass sich auf hundert Straßenmetern alle Köpfe wenden. Eins ist klar: Wenn dieses Kind so weiter schreit und sich auf dem Pflaster windet, wird irgendjemand den Notarzt rufen müssen.

Die Eltern der kleinen Darstellerin stehen vor ihrer Tochter, sie halten sich an ihren Fahrradlenkern fest und sind sichtlich uneins darüber, was nun von ihnen erwartet wird. Das Kind kreischt und zappelt, es trotzt und schnappt, bis der Vater die nächste Eskalationsstufe auslöst. »Ich gehe jetzt nach Hause, Malika«, sagt er mit nicht eben fester Stimme, »du kannst ja nachkommen.« Er schiebt sein Fahrrad todesmutig zwei Meter weiter. Nun verliert Malika den letzten Rest an Beherrschung, sie schnappt nach Luft und richtet sich halb auf, streckt die Arme der stumm dabeistehenden Mutter entgegen und wimmert heiser: »Nihihicht alleiheine lassen! Bitte nihicht!« Die Mama nähert sich dem Kind auf einen Meter Sicherheitsabstand, beugt sich leicht herab und stellt die Todesfrage: »Bist du dann auch wieder lieb?«

Es ist dies der Moment, in dem ich gern wie eine Alterspräsidentin in die Mitte dieser drei Streithähne treten würde, um zu sagen: »Alle mal Klappe halten und herhören jetzt. Auch du, tobendes Kind! Die Antwort lautet: Vergesst es! Malika wird nicht wieder lieb sein, der Tag ist gelaufen, findet euch damit ab. Trollt euch und lasst mich in Ruhe meinen Kaffee austrinken! Man wird ja ganz rammdösig von dem Geschrei hier.«

Aber da ich die Gesetze des urbanen Miteinanders befolge und mich genau wie alle anderen hier natürlich nicht einmische, geht das Getöse jetzt weiter. Papa ist sauer bis in die Steinzeit, Mama packt ihre Umhängetasche nach hinten auf den Rücken, damit die kleine Brüllprinzessin sich unter Schluchzen an ihren Bauch lehnen kann. Papa und Mama wechseln genervte und hilflose Blicke, zwischen ihnen torkelt das erschöpfte Kind. Als Papa sich irgendwann hinhockt und in leisem, aber bestimmtem Ton auf Malika einzureden beginnt, ist es Zeit für mich, zu zahlen und zu gehen. Es fallen Wörter wie Fairness, Zeit, es-geht-nicht-immer-nur-nach-dir, das-schöne-Fahrrad und können-wir-eben-nicht-mehr-mit-dir …

Ich weiß, das ist alles gut gemeint. Gut gemeint, aber völlig sinnlos. Denn in den nächsten Jahren wird Malika weiterschreien, wenn ihr was nicht passt. Und ihr Vater wird wieder und wieder diese leere Drohung ausstoßen, sie hier und jetzt stehenzulassen, um schon mal nach Hause zu fahren. Es wird furchtbare Szenen geben – mal mit Beobachtern wie hier vor dem Café, mal ohne, wenn die Familie irgendwo im Wald steht und Malika die nächsten fünf Kilometer getragen werden möchte. Ich kann mich gut erinnern.

Als unsere dreijährige Tochter einst kapiert hatte, dass hysterisches Kreischen mitunter schneller zum Erfolg führt als freundlich zu lächeln oder bitte und danke zu sagen, geriet auch unsere Familie in diese zwischenmenschliche Abwärtsspirale. Was kann man schon groß unternehmen gegen ein Kind, das seinen Willen lauthals und öffentlich durchzusetzen gewillt ist? Das Kind zerrt an den Nerven, alle starren herüber, um mal zu gucken, wie die Eltern das lösen ... Als ihr Vater bei einer solchen Gelegenheit mal wieder am Ende mit seinem Latein war, als er das tobende Kind in voller Montur aus einer riesigen Pfütze gezerrt hatte, als alles Trösten und Versprechen nichts ausgerichtet hatten und das Schreigirl weder hierbleiben noch nach Hause wollte, weder gefahren noch getragen werden wollte – da, ja da sprach auch er zum Kinde: »Du, ich gehe jetzt nach Hause, du kannst ja nachkommen.«

Er wendete sich ab und schob den leeren Buggy Richtung Spielplatzausgang. Die Reaktion war malikaesk: Das Kind stutzte, guckte, kapierte – und verfiel in jenes herzerweichende heisere Protestschluchzen, das Mutter Natur so eingerichtet hat, damit Eltern ihre Kinder eben nicht im Wald stehenlassen oder ihnen kurzerhand den Hals umdrehen.

Doch der Vater schob weiter. Zentimeter um Zentimeter. Da stellte sich ihm eine engagierte Spielplatzmutter in den Weg und giftete: »Was Sie hier machen mit dem Kind, das ist FOLTER!«

Dieser Vorwurf bewirkte Unglaubliches. Er starrte der Mutti mitten ins Gesicht, holte kurz Luft und brüllte sie nieder: »Halt doch deine blöde Schnauze! Kümmer dich um deine eigene Brut und misch dich nicht in fremder Leute Angelegenheiten ein, du ...!« Er beendete seinen Satz mit einem F-Wort, das ich hier nicht hinschreiben möchte.

Man muss sich das mal vorstellen: Ein Mann, also mein Mann, der nachts die Straßenseite wechselt, damit sich ihm begegnende Frauen nicht bedroht fühlen; ein Mann, der gut kocht, Liebes-SMS schreibt, Elternzeit nimmt und im Großen und Ganzen eher zu leise als zu laut spricht – dieser Mann vergisst sich, weil eine Fremde seine pädagogische Kompetenz in Zweifel zieht? So etwas kriegen nur Kinder hin, die es wirklich wissen wollen. Kinder, die ihr Fahrrad in Raserei auf den Gehweg knallen oder in nervenzerfetzender Weise den öffentlichen Raum beschallen. Die wir hinter Wohnungstüren hervorwimmern hören oder auf dem Bauch unter dem Klettergerüst vorfinden. Es sind unsere Kinder. Es ist unsere Erziehung. Auf so was, auf die Malikas und Väter, die Räder und Buggys, die Foltervorwürfe und F-Wörter, kann man sich einfach nicht vorbereiten. Das sind Situationen, die wie ein Tsunami in unsere Leben fegen und den letzten Rest Selbstbeherrschung wegblasen. Die aus uns pädagogisch vollversagende und politisch inkorrekte Vollspaten machen. Schön ist das nicht. Aber wenigstens fressen wir unsere Kinder nicht auf, wenn sie nicht mehr weiterlaufen wollen.

Im Väterzentrum oder

Pure Entspannung ohne Lätzchengewedel

Verglichen mit Westdeutschland, ist das doch hier die Insel der Glückseligen«, sagt der Mann über seinen Bezirk. Da hat er zweifellos recht. Er ist einer von drei Vätern, die heute zum Papa-Frühstück ins Väterzentrum gekommen sind, einer Art geschlechtsspezifischer Schutzhütte für Männer.

Hier geht es, man sieht es sofort, ein bisschen weniger ordentlich zu. Auf dem Boden liegen Babymatten, auf denen die Kinder der drei Prenzlauer-Berg-Männer herumpurzeln. Drumherum wurde schon länger nicht mehr gefegt und gewischt. An der Seite steht eine Torwand. Und das Frühstücksbüfett, das auf dem Tisch an der Wand bereitsteht, sieht eher nach Aldi als Bioback aus. Alles in allem eine ziemlich entspannte Angelegenheit: Die Männer quatschen, die Kinder krabbeln ruhig ihre Runden, ab und zu greift mal einer nach der Küchentuchrolle, um Moritz' oder Mikas Kotze wegzuwischen.

Diese Männer wollen ungestört sein. Wenigstens ab und zu mal für ein paar Stunden. Sie möchten nicht dabei beobachtet werden, Väter zu sein. Und sie wollen den Frauen in ihren Leben, also den Müttern ihrer und aller anderen Kinder auf den Spielplätzen, in den Kitas und Cafés, einfach mal den Raum geben, den sie offenbar brauchen, um sich dort ausgiebig zu profilieren. So jedenfalls begründen die drei ihr

Hiersein. »Frauen«, erklärt der eine, »fühlen sich doch irgendwie ständig im Defizit.«

Ein Beispiel? Er erzählt von der Kitareise seiner fünfjährigen Tochter. Als die Kinder nach Tagen wieder heimgekehrt seien, habe er als einziger Mann mit zwanzig Müttern auf den Reisebus gewartet. Als der schließlich mit reichlich Verspätung ums Eck bog, brach ein für ihn völlig irritierender Jubel aus. Wie ein Teenie-Fanclub seien die Mütter dem Bus entgegengerannt, jauchzend die Arme gen Himmel gereckt, die Münder weit aufgerissen. Er hingegen blieb stehen, wo er war. Warum sollte er seiner zweifellos vorhandenen Freude über die Heimkunft der Tochter derart expressiv Ausdruck verleihen? Doch es war der falsche Bus, und die Mütter hatten sich zu früh gefreut. Als sie sich wieder beruhigt hatten, nahm eine der Frauen ihn zur Seite und sagte diesen irgendwie lustigen, aber auch traurigen Satz: »Du hast's gut, du bist ein Mann und musst nicht kreischen.«

Ja, die hier im Vätercafé müssen nicht kreischen. Sie können sich einfach ganz normal unterhalten über jene Themen, die wohl sämtliche Eltern in diesem Land beschäftigen. Über die Suche nach dem allerbesten Kinderarzt im Stadtbezirk und die passende Kita, über den Schlafmangel und die beliebte Frage, ob und wogegen geimpft werden soll. Alles in allem genau die Themen, die sie mit Müttern oder auch im Pärchentalk besprechen könnten, nicht wahr? Ja schon, sagt einer, die Themen seien dieselben, es sei aber auch mal schön ohne Frauen. Einfach entspannter. Außerdem sei er hier mal nicht der Exot, der tolle Typ, der mit seinem Kind zu Hause bleibt und den die Frauen in den Straßen und auf den Spielplätzen anstaunen wie ein seltenes Tier.

Dass Männer Elternzeit nehmen, ist ja bekanntlich nichts Neues. Zwei Monate beim Neugeborenen bleiben und im Rahmen eines etwas lang geratenen, steuerfinanzierten Urlaubs leckere Aufbaukost kochen und mit der stillenden Mutter fachkundig den Windelinhalt analysieren – wunderbar. Wirklich interessant wird es aber erst, wenn diese Männer tatsächlich beim Kind bleiben, wenn die Mutter arbeiten geht und der Vater die rückwärtigen Dienste versieht. Wenn er also gleichberechtigt alles tut und lässt, was sonst meistens die Frauen leisten: Wadenwickel anlegen, verstopfte Kleinkindnasen putzen, dasselbe Buch dreitausendmal wie neu vorlesen. Trösten und schimpfen, buddeln und malen, kochen und waschen und dabei auch noch gut aussehen. Diese Väter, die das wirklich durchziehen, sind die wahren Helden.

Mein Angetrauter zum Beispiel war so einer, vielleicht sogar einer der Ersten. Er hatte vor achtzehn Jahren einfach Lust, die Sache mit den Kindern zu übernehmen und ein Jahr zu Hause zu bleiben.

Und ich hatte eben keine Lust darauf.

Während ich diesen Satz in die Tastatur hämmere, zuckt mein Finger schon Richtung Löschtaste. Kann ich das wirklich schreiben: Ich hatte keine Lust, mich um die Kinder zu kümmern? Da gehen im Land auf der Stelle die Alarmlampen an, es wird unruhig im Publikum, und die ersten Leser klappen das Buch zu. Denn Frauen, die Kinder kriegen, sollten darüber unbedingt ganz, ganz glücklich sein – und wenn sie sich dessen nicht sicher sind, sollten sie das Projekt Baby doch einfach lassen und es den besseren, den guten und beseelten Müttern überlassen. Die machen das gern: kaum schlafen, wenig Sex haben, im organisatorischen Chaos versinken und eigentlich nicht so recht wissen, was so ein Dreimonatskind gerade mit seinen spitzen Schreien ausdrücken will.

Ich jedenfalls war eine von der anderen Sorte. Ich wollte immer Kinder haben und habe es auch keine Minute bereut, als ich mit unserem ersten Mädchen ein paar Jahre lang allein klarkommen musste. Kinder sind etwas Wunderbares, tatsächlich. Aber sie bringen die zuständigen Erziehungsberechtigten auch an die Grenzen der Belastbarkeit. Glück sieht nun mal irgendwie anders aus, als morgens um drei in der runtergekühlten Wohnung ein Schreikind hin und her zu tragen, nicht wahr?

Um so angenehmer ist es, mit diesen unprätentiösen Männern im Väterladen zu sprechen, die das Kinderhaben als schöne, aber nun auch nicht unbedingt weltstürzende Angelegenheit ansehen. Die sie selbst bleiben, es nicht peinlich finden, über Fußball zu reden, und auch nicht den Wunsch verspüren, bei ihrem Alltag mit der zehn Monate alten Rica beobachtet und bewundert zu werden. Sie wollen sich nicht ständig mit Frauen darüber unterhalten, warum deren Mann zu busy, zu erfolgreich ist, um Elternzeit zu nehmen. Unterton: Mein Mann kann das nicht machen, der ist zu wichtig. Subtext: ... und wenn er das nicht wäre, hätte ich mir kein Kind von ihm machen lassen. Das, sagt einer der Väter, sei doch echte Diskriminierung, perfide und herabsetzend.

Was ich hier höre, erinnert mich an meinen Freund Robert, der in den nächsten Monaten mit seiner Tochter zu Hause bleiben wird. Die kleine Frieda ist gerade ein halbes Jahr alt geworden, und Roberts Frau Dana freut sich, wieder arbeiten gehen zu können. Und wer freut sich noch? Robert natürlich, denn der ist dermaßen verliebt in seine Kleine und auch ein bisschen genervt von seinem Job, dass er es gar nicht abwarten kann, zu Hause bleiben zu dürfen. Um die Monate bis zu seiner Elternzeit nicht untätig verstreichen zu lassen, um wenigstens einmal in der Woche etwas Besonderes mit Frieda zu machen, gehen die beiden immer mittwochs zur Massage.

»Väter massieren ihre Babys« heißt diese Veranstaltung im städtischen Geburtshaus, organisiert wird sie von einem Mann namens Bert. Eine Stunde lang, erzählt Robert, treffen sich da sechs Väter, kneten an ihren geliebten Kindern rum und plaudern. Natürlich gibt es eigentlich eine zertifizierte Massagetechnik, das muss in Deutschland so sein. »Aber«, sagt Robert, »das hatten wir alle nach zehn Minuten kapiert, wie das geht. Und jetzt quatschen wir eigentlich die ganze Zeit.« Worüber, frage ich. »Das ist fast schon peinlich«, sagt Robert, »grad vorgestern waren Schlagbohrmaschinen unser Thema. Das ist ja was, worüber ich sonst mit niemandem reden kann und will. Aber da, bei den ganzen Männern und dem duftenden Massageöl an den Fingern, kann ich das. Sonst weiß ich eigentlich nix über die anderen, nicht mal, was sie arbeiten, aber die Marke ihrer Bohrmaschine, die kenne ich. Lustig.« Ein angenehmer Termin ist das, findet er. Und das findet auch Dana, denn sie hat dann endlich mal eine Frieda-Pause, Zeit für sich und ihre Hände, die ausnahmsweise mal einen Kaffee statt der Buggystange oder des Frieda-Pos halten dürfen.

Die anderen Mütter sehen das offenbar nicht so. Sie geben nicht nur ihr Kind, sondern gleich auch noch ihren Mann bei Kursleiter Bert ab und fiebern nur so dem Moment entgegen, endlich wieder die Herrschaft übernehmen zu dürfen. Eigentlich, erzählt Robert, sollen die Mütter weggehen, spazieren, Kaffee trinken, egal. Aber sie hauen einfach nicht ab. Und deshalb musste die Geburtshausverwaltung einen extra Warteraum für misstrauische Mütter einrichten. Da sitzen sie nun mit gespitzten Ohren. Fängt ihr Baby an zu weinen, lassen sie es sich nach nebenan reichen und geben ihm die Brust. Robert nennt sie »die Stillrobben«.

Die drei hier beim Papa-Frühstück mögen Frauen, ihre eigenen daheim natürlich ganz besonders. Dennoch, es ist ein angenehmer Zustand, sich nicht vergleichen zu müssen, zumindest bezogen auf die Kinder – im Job sieht die Sache vermutlich wieder anders aus. »Belastend« findet Ricas Papa vor allem »das Care-Kompetenz-Gerangel auf dem Spielplatz«. Im Gegensatz zu den Vätern, hat er beobachtet, machen sich Frauen gegenseitig Konkurrenz darin, wer die aufmerksamste, die schnellste Krisenfall-Mama ist. »Die Mütter«, sagt er, »wittern ständig Gefahr für ihre Kinder. Mag sein, dass das die Natur so eingerichtet hat, trotzdem nervt das Getue am Klettergerüst, wenn ein Kind mal von der Leiter rutscht. Die sind sofort da, flattern um das Kind herum, trocknen die Tränen und ärgern sich auch noch lautstark, dass sie diese Gefahr nicht vorher gesehen haben. Und was machen wir Väter? Wir lassen das Kind runterfallen, warten ab, ob es sich wirklich wehgetan hat, und zücken nur im Ernstfall das Taschentuch. Bis dahin hat längst eine über den Platz getönt: Hol doch mal einer die Mutter! Lustig. In solchen Situationen hab ich immer das Gefühl, die armen Frauen müssen einer Art Mütterbild entsprechen, die vergleichen sich mit den anderen. Sonst stimmt es für sie nicht.«

Ja, schön ist es im Vätercafé. Erstaunlich angenehm. Denn tatsächlich hatte ich erwartet, hier auf eine Gruppe verbitterte Erzeuger zu treffen, die am gerichtlich festgelegten Besuchstag nichts mit sich und dem Kind anzufangen wissen und deshalb hierherkommen, ich hatte vergrätzte, gedemütigte Verlierertypen erwartet. Vorgefunden habe ich das bislang Ausgeruhteste an Elternschaft, das der Prenzlauer Berg zu bieten hat.

Wir reden noch ein bisschen über absurde 40-Euro-Designermützen und das nervende Kita-Casting ab der zwölften Schwangerschaftswoche, da stelle ich fest, dass alle drei

Kinder auf den Schößen ihrer Väter sitzen und ihr Breichen eingelöffelt bekommen. Essenszeit. Einfach so nebenbei, ohne Lätzchengewedel und Warmhaltetaschengefummel, ohne längeren Vortrag darüber, ob die Möhrchen auch bio sind, nehmen hier drei Herren mit ihren Kindern eine Mahlzeit ein. Und wenn sie satt sind, packen sie sie in die Kinderwagen vor der Tür des Vätercafés und gehen nach Hause. So einfach kann das sein? So einfach.

Nur für Mitglieder oder Der sagenhafte Herr Müller

Interessiert schaut Fine sich die Fotos an, die ich vor ihr auf dem Caféhaustisch ausgebreitet habe. »Hier sieht sie toll aus«, sagt Fine und zeigt auf ein fünf Jahre altes Passbild. »Findest du?«, antworte ich, »guck mal, das hier – da hat sie so schöne lange Haare, das fand ich damals sehr schick. Heute trägt sie sie ganz kurz.« Fine weist auf die Nase: »Die ist ja gar nicht Müller'sch. Aber die Augen schon!«, sagt sie und lacht.

Nicht dass Sie denken, ich säße gerade mit dieser bezaubernden Fünfzehnjährigen beisammen, um mit ihr die aktuelle *Bravo* durchzublättern und die ästhetischen Alleinstellungsmerkmale junger C- oder D-Prominenter zu diskutieren. Nein, so weit sind wir noch lange nicht, wir treffen uns ja heute zum ersten Mal und versuchen wechselseitig, einen guten bis sehr guten Eindruck zu hinterlassen. Sie bei mir und ich bei ihr. Denn auf eine seltsam vertrackte Art und Weise sind wir so etwas wie verwandt miteinander, die Fünfzehnjährige und ich.

Oder besser: Fine und meine große Tochter. Denn beide haben denselben biologischen Vater, und nun möchte Fine mich kennenlernen, um ihrem Vaterbild ein weiteres Puzzleteil hinzuzufügen. Andere Möglichkeiten hat sie leider nicht, der Mann ist seit vierzehn Jahren absent. Schlechte

Karten für eine Pubertierende in der Selbstfindungsphase. Deshalb trifft sie sich nun mit mir.

Ein gut gepflegter Mythos des untergegangenen Ostens ist ja, dass die Bürger in der DDR ausgiebig das getan haben, was Fürstin Gloria zu Thurn und Taxis einmal »schnackseln« genannt hat. So unfrei das Leben, so frei und ungezügelt der Sex – so in etwa geht die Rede über die zwischenmenschlichen Beziehungen in jenem versunkenen Land. Mancher Westler denkt dann neidisch, mancher aber auch mitleidig: Die armen Ostler hatten ja sonst nix. Tatsächlich mangelte es uns an Schlagbohrmaschinen und Badezimmerfliesen, an Pelikano-Füllern und guten Tampons. Woran es uns aber nicht mangelte, war der Dialog der Geschlechter inklusive aller biografischen Folgen, die das Aufeinandertreffen von Mann und Frau nun einmal haben kann. Kinder also und alles, was damit zusammenhängt: Alimente, Umgangsstreitigkeiten, veränderte Lebenspläne, Jugendamt und so weiter und so fort. Natürlich auch immer mal wieder glückliche, gut und langfristig funktionierende Familien.

Alleinerziehend zu sein ist im Großen und Ganzen nichts Besonderes. War es auch früher nicht. In der DDR hieß die Zweierfamilienkonstellation »alleine mit Kind«. Bedeutet: Mist, hat nicht geklappt zwischen den lieben Liebenden, traurig das Ganze. Aber wenn man sich entscheiden muss zwischen täglichem Genörgel auf der einen Seite und der Möglichkeit, noch mal neu durchstarten zu können ohne das ungute Gefühl, mit dem falschen Menschen seine Jahre verbringen zu müssen, dann ist es wohl auch für die dazugehörigen Kinder besser, mit manchmal gestressten, hin und wieder auch traurigen Eltern zu leben, statt jeden Abend vom Kinderzimmer aus zuhören zu müssen, wie Mama und Papa sich gegenseitig fertigmachen.

Immer wieder entscheiden sich Paare dafür, es lieber sein zu lassen mit dem Vater-Mutter-Kind-Projekt. Statistisch sind im Prenzlauer Berg 27 Prozent aller Eltern alleinerziehend, ein Prozent von ihnen sind Männer. Man erkennt Alleinerziehende nicht auf der Straße und im Bioladen. Woran auch? Die Zeiten, da diese Lebensform eher selten und mit dem Hautgout sozialen Absteigertums behaftet war, sind lange vorbei. Alleinerziehende hungern und frieren nicht, sie haben nette kleine Wohnungen, sind sozial ausgezeichnet vernetzt und haben – wenn sie sich mit dem jeweils anderen Elternteil sinnvoll abstimmen – mehr Zeit als ihre komplettfamiliären Freunde. Weil sie nämlich jedes zweite Wochenende und die Hälfte der Ferien kinderfrei haben. Da laufen sie dann Halbmarathons, posten lustige Partyfotos auf Facebook und gucken mal nach, was aktuell so auf dem Beziehungsmarkt läuft.

Wie entspannt das sein kann, wie wohltuend die neue Lebensphase ohne den ganzen Beziehungsstress, lassen die alleinerziehenden Mütter aber nicht zu sehr raushängen. Manche jammern ein bisschen über den »Erzeuger«, der nicht pünktlich zahlt oder mal wieder zu spät zur Elternversammlung gekommen ist, der erstaunlicherweise plötzlich auch mehr freie Zeit hat und erst kürzlich in einem guten Restaurant mit einer seiner Mitarbeiterinnen aus der Agentur gesehen wurde. Und das, obwohl er doch vor Jahren mal versprochen hatte, sich sozial, sexuell und – vor allem – wirtschaftlich um seine Familie zu kümmern.

Du machst die Kinder, ich besorge das Geld – das ist die Beziehungsformel des verklungenen zwanzigsten Jahrhunderts kapitalistischer Prägung. Dass es Frauen gibt, die sich auf ein derart unwürdiges Agreement überhaupt eingelassen haben, ist zwar traurig, aber keineswegs selten. Denn solange alles wie geplant lief, konnten sie sich vormittags mit dem Buggy in die Lavendeltöpfchen-Cafés setzen und nachmittags nach Kita- und Schulschluss komplettfinanziert auf dem Spielplatz Latte macchiato schlürfen. Und nun? Kümmern sie sich immer noch um die Kinder, sollen sich aber plötzlich auch eine Arbeit suchen, denn ohne Job wird es schwierig, die gute Privatschule, die gesunden Biolebensmittel und den ganzen leckeren Kaffee zu finanzieren.

So sind manche. Die meisten aber Gott sei Dank nicht. Denn Kinder zu haben in sozial und finanziell gesicherten Verhältnissen ist zwar noch immer eine schöne Idee und wird im Prenzlauer Berg und den anderen Muttivierteln der Republik exzessiv zelebriert. Aber es funktioniert eben nur, wenn die Eltern sich lieben. Und wenn sie bei Nichterfüllung dieses Traums trotz Trennung interessante Menschen bleiben, die es vorziehen, abends lieber mal gestresst als gelangweilt ins Bett zu fallen.

Fines Mutter zum Beispiel hat einst nach dem Scheitern des Müller'schen Mutter-Kind-Projekts noch eine Zeit lang nach Luft geschnappt. Aber dann hat sie getan, was wichtig war: Sie hat für Fine einen anständigen Krippenplatz gesucht, ihre Diplomarbeit geschrieben, sich mit anderen Alleinerziehenden vernetzt und mit ihrer Tochter ein gutes, wenngleich nicht vollversorgtes Leben im angesagtesten Bezirk der Stadt gelebt. Herr Müller? Pah! Das ist Jahre her.

Fine will wissen, wie er so war, ihr Vater. »Na«, versuche ich Zeit zu schinden, »das ist nun auch schon sagenhafte zwanzig Jahre her.« Dafür, dass wir Erwachsenen dafür sorgen, dass Finekinder wie dieses erfolglos nach einem Zipfel Identität haschen müssen – hasse ich ihn nun doch wieder ein bisschen. Ich könnte ihr jetzt erzählen, was ich alles Mieses über ihn weiß und dass ich letztlich auch verdammt froh bin, dass er sich nie mehr in unser Leben eingemischt hat. Aber ich sage: »Er hatte bemerkenswerte blaugrüne Augen, so wie du sie hast.« Fine freut das.

Späte Väter oder

Der dritte Frühling im Prenzlauer Berg

Schön ist das nicht«, sagt Sibylle. Wir sitzen am Kollwitz-Spielplatz auf dem Mäuerchen, baumeln mit den Beinen und gucken in die Sonne. »Nein wirklich, schön ist anders. Guck doch mal, der da drüben«, sagt Sibylle nun und rammt mir ihren Ellenbogen in die Seite. Ich schiebe die Sonnenbrille runter und gucke wie befohlen. An der Schaukel verbringt gerade ein Vater mit seinem Kleinkind Qualitätszeit. Anschubsen, lachen, klatschen – yeah! Das Kind wird drei sein, der Vater mindestens Mitte fünfzig. Dass er nicht der Opa des kleinen Gesellen ist, lässt er seine Umwelt durch wiederholte »Der Papa holt, der Papa macht ...«- Ausrufe wissen. Kein besonderer Anblick hier im Prenzlauer Berg, wo Männer gern noch mal in weitläufigen Altbaufluchten ihren zweiten, wenn nicht gar dritten Frühling erleben. Jedes zwanzigste Neugeborene hat heute einen Vater über fünfzig. Also, was soll's?

Sibylle ist nicht dieser Meinung. Sie findet alte Väter angeberisch, unsexy und widernatürlich. »Guck mal, wie der aussieht«, sagt sie, für mein Empfinden eine Spur zu laut, »der hat sich diese schweineteuren Jeans gekauft. Die spannen an den Hüften, und an den Oberschenkeln sind sie viel zu weit. So sieht das dann aus, wenn alte Männer Sachen tragen, die für Zwanzigjährige gemacht wurden.« Sibylle kommt gar nicht mehr runter. Sie lästert nun ausgiebig über die Fendi-Sonnenbrille im schütteren Grauhaar, über den steifen Rücken beim Bücken und die eher geringe Wahrscheinlichkeit, dass dieser Mann noch die Abiturfeier seines Sprösslings erlebt. »Geht's ein bisschen leiser«, mahne ich Sibylle, »die Leute gucken schon.«

Tatsächlich hat sich im Prenzlauer Berg im Zeugungsbereich die Altersgrenze sichtbar nach oben verschoben. In den Straßen und Cafés, auf Spielplätzen und Biomärkten schieben zahllose graugelockte Spätbeglücker ihren Nachwuchs in sehr teuren Kinderwagen durchs Gedränge. Männer um die fünfzig, die sich eine Dreißigjährige geangelt haben, um die Vaterschaft »noch mal richtig zu genießen«, wie dieser Lebensentwurf in Zeitungen und Zeitschriften wortreich umkränzt wird. Ja, das sollten sie auch. Denn lange wird das späte Glück nicht dauern – es sei denn, diese Männer gehören dem Klub der Hundertjährigen an oder die Medizinforschung wirkt endlich und ausdrücklich für sie ein Wunder.

Sibylle hat mit ihrer Tirade insofern recht, als ich diese Männer auch ziemlich unsexy finde, im absoluten Gegensatz zu jüngeren Vätern, die auf Spielplätzen mit dem MacBook auf dem Schoß an ihrem Caffè Latte nippen, dem Nachwuchs beim Sandessen zuschauen und ganz nebenbei sicher eine sehr interessante Masterarbeit über Genderthemen tippen. Und wenn sie nach Hause kommen, kochen sie was Leichtes aus der Fusion-Küche und haben spätabends noch sensationellen Sex mit der Kindsmutter. Ja, so etwas denken Frauen, die ihre Tage auf dem Spielplatz zubringen. Da gucken sie dann rüber und vergleichen diesen smarten Alleskönner mit ihrem eigenen Exemplar daheim. Sie können ja nicht wissen, dass der junge Mann der schwule Nachbar einer alleinerziehenden Mutter ist, die ihn gebeten hat, ein paar Stunden auf Karlchen aufzupassen, weil es auf dem Arbeitsamt immer so lange dauert.

Solche Irrtümer entstehen auch leicht, wenn man sich die wackeren, oft irritierend pausbäckigen späten Väter ansieht, die im urbanen Raum umherstreifen. Das Ganze riecht nach Geld, nach Sicherheit für Frau und Kind, nach Lebenserfahrung und Manufactum-Katalog. In Wirklichkeit sind es oft Männer, die sich hier mal eine Stunde mit ihrem Nachzügler im öffentlichen Raum zeigen, um spätestens gegen neun Uhr abends über einem Coffeetable-Book mit Juergen-Teller-Fotografien wegzuschnarchen. Ich bin kein Mann, aber ganz ehrlich, ein Tag mit kleinen Kindern und vielleicht noch eine drangehängte Nacht mit Schreialarm machen auch mich komplett fertig. Das ist einfach nichts mehr für Leute meines Alters, und ich denke, die späten Väter bilden da keine Ausnahme.

Kinder zu haben ist eine anstrengende Angelegenheit. Eine befriedigende auch, ja. Aber ist man mit fünfzig noch bereit und in der Lage, tagelang dieselbe Benjamin-Blümchen-CD aus dem Kinderzimmer jaulen zu hören? Ist es wirklich gar nicht schlimm, wenn Klein-Ida oder Paulchen mit ihren Wachsmalstiften die Ligne-Roset-Couch bemalen und mit ihrer kleinen Patschehand das iPhone vom Tisch wischen? Tut mir leid, ich glaube das einfach nicht. Da können in Elternmagazinen noch so viele Graubärte behaupten, die Zeit mit dem kleinen Spätspatz sei der großartigste Jungbrunnen, den es gebe, das Beste, was sie tun konnten – jetzt, wo sie sich beruflich nicht mehr beweisen müssen.

Ich denke, das sind alles nett gemeinte Lügen. Wer bestimmt denn, dass Erwachsene über fünfundvierzig nichts mehr vorhaben dürfen im Job? Und wer sagt denn, dass sie in diesem Alter tatsächlich ausgesorgt haben und nun quasi nur noch die Golddukaten in den geliebten Nachwuchs investieren wollen? Was ist mit Altersarmut? Was mit Erschöpfung, Prostatakrebs und verdammt stillen Nächten im Doppelbett? Davon wird fein geschwiegen.

Am schlimmsten stelle ich mir die familiäre Situation vor, wenn der oder die Spätgeborene in die Pubertät kommt. Diese Jahre sind schon für jüngere Eltern eine Kraftprobe. Das Kind, eben noch ein liebevoller Kuschelking, mutiert zum schweigenden Stinker, der das Bad blockiert, um sich dort Pickel auszudrücken. Oder Schlimmeres. Eltern sind in dieser Zeit die natürlichen Feinde des Adoleszenten. Und jede Generation denkt sich – mal abgesehen von Standardprovokationen wie lauter Musik, nicht wetterentsprechender Kleidung oder Maulerei – was Neues aus, um die Alten zu überraschen. Wer weiß denn schon, was diese vielversprechenden Kleinkobolde in zehn Jahren ihren greisen Vätern entgegensetzen?

Hoffen wir mal für die älteren Herren, die sich da einen kleinen Jungbrunnen hingezeugt haben, dass sie es schaffen, in Würde alt zu werden. Also klug zu sein, gelassen und stilsicher. Denn nichts ist doch schlimmer als berufsjugendliche Väter, die meinen, ihre Altersdepression nicht nur mit einem Kind therapieren zu müssen, sondern auch ihre Umwelt stets und ständig darüber in Kenntnis zu setzen, dass späte Vaterschaft das Nonplusultra sei, während sie ihre Kinder aus früheren Ehen scheinbar im Galopp verloren haben und sich gar nicht hätten kümmern *können*. Faule Ausrede. Natürlich hätten sie's gekonnt, sie haben's aber nicht getan, und nun müssen Klein-Ida und Paulchen als letztes sinnstiftendes Großprojekt alle ihre

Wünsche wahr werden lassen. Ob das »schön« ist, wie Sibylle meckert, ist nur eine Nebenfrage. Wenn's okay ist, ist es wunderbar. Aber nicht rumnerven! Einfach die Jahre genießen.

Weg in den Wedding oder Wenn Kinder unsexy machen

Ich bin inzwischen schon reif für den Wedding«, seufzt Micha. Dies könnte der schöne Satz eines genervten In-Bezirk-Bewohners sein, dem es hier irgendwie zu voll und zu anstrengend geworden ist. Ist es aber nicht. Die Sache ist, Micha und seine Freundin haben sich getrennt, und weil die Kinder bei ihr, also in Kitanähe bleiben sollen, muss Micha nun ausziehen und sich eine andere Wohnung suchen. Eine, in der der Freiberufler wohnen und arbeiten kann und in der sich an den Kinderbesuchstagen auch Clara und Paul wohlfühlen. Aber hier im Prenzlauer Berg findet er nichts Bezahlbares. Und nun muss Micha darüber nachdenken, in den Westen zu ziehen.

Tatsächlich sind es von dort, wo Micha zurzeit noch wohnt, nur ganz wenige Meter in den Bezirk Wedding, denn seine schöne preiswerte Altbauwohnung liegt unmittelbar an der innerstädtischen Zonengrenze. Ein Umzug nach drüben sollte eigentlich kein Problem sein, ist ja nur ein anderer Stadtbezirk. Es ist aber ein Problem für einen wie Micha, der seit Anfang der Achtzigerjahre im Prenzlauer Berg wohnt. Vor dem Mauerfall hat er von Osten her manchmal die Aussichtstürme auf der anderen Mauerseite fotografiert. Da standen die Westler, manchmal ganze Schulklassen, und starrten zu ihm herüber, manche winkten auch. Micha fühlte sich wie im Zoo. Da hat er halt zurückgeknipst. Er konnte sich damals tatsächlich einen cooleren Ort als den Osten vorstellen – aber innerhalb dieses Ostens war der Prenzlauer Berg das maximal Coolste, was es gab. Das begriffen die auf dem Turm natürlich nicht, die sahen nur ein Altbauviertel mit kaputten Fassaden. Micha gefiel's. Und es gefällt ihm noch immer. Er will hier wirklich nicht weg. Aber zu Hause ist die Stimmung geladen, seine Freundin und er reden seit Wochen nicht mehr miteinander. Paul und Clara fangen schon an, aggressiv zu werden – Micha muss raus. Aber wohin? Im Prenzlauer Berg gibt es keinen Wohnraum mehr für einen wie ihn, einen Teilzeitvater in seiner größten Lebenskrise. Er musste zur Kenntnis nehmen, dass er ausgedient hat im Prenzlauer Berg, wo Wohnen immer öfter mit kreditfinanzierten Townhouses und Lofts assoziiert wird und die letzten preiswerten Mietwohnungen fest in der Hand jener sind, die schon immer hier gelebt haben. Also eigentlich solchen wie Micha.

Dabei hatte er alles richtig gemacht, zumindest in Hinsicht auf die geschlechterpolitische Neuausrichtung in diesem Land. Als die Kinder geboren wurden, hat er als Freiberufler weniger Aufträge angenommen und sich um Clara und Paul gekümmert. Seine Freundin, die voll arbeitete, fand das gut so, es war ja auch gerade schwer Avantgarde, dass die Väter in Elternzeit gehen. Er hat den Kindern Frühstück und Abendbrot gemacht, hat sie zur Kita und zurück gefahren, hat gekocht und geputzt, die Biowürstchen für die Kindergeburtstage aufgewärmt, Topfschlagen gespielt und Preistütchen verteilt. Hat Paul und Clara nachts Wadenwickel gemacht und tagsüber im Wartezimmer der Kinderärztin gehockt, das von den Hustenattacken kleiner Stadtbewohner widerhallte. Und wenn er gute Laune hatte, hat er sich zum

Spielplatz einen Latte macchiato to go mitgenommen. Wie er dann da so saß und zwischen zwei Schlückchen Kaffee Clara und Paul die Nasen abgewischt hat, ist ihm keineswegs entgangen, dass die Mütter zu ihm rübergeguckt haben: was für ein toller Mann, dieser Micha.

Und dann das. Erst meckerte seine Freundin, die Wohnung sei nicht so sauber, wie das eigentlich zu erwarten sei, wenn ein Elternteil zu Hause bleibt. Dann fragte sie, warum es immer der teure Andechser-Joghurt sein müsse, wieso das Spülmaschinensalz nicht nachgefüllt wurde und wieso eigentlich erst die Kita-Erzieherin sie darauf aufmerksam machen müsse, dass Paulchen seinen S-Fehler logopädisch behandeln lassen muss. Was er eigentlich den lieben langen Tag so mache, während sie das Geld für alle verdiene.

Es entspann sich eine ungute Stimmung in der schönen Wohnung im Prenzlauer Berg. Micha dachte nach und signalisierte schließlich seinen früheren Auftraggebern Arbeitsbereitschaft. Ab und zu kamen wieder Aufträge rein: mal eine Konzertkritik, dann eine Ausstellungsrezension, das Ganze verbunden mit Abendterminen und sehr schmalen Honoraren. Aber auch das gefiel Michas Freundin nicht. Was er da treibe, dieses Geschreibsel für das bisschen Zeilengeld, das sei ja wohl eher eine Art Selbstfindungstrip, nörgelte sie. Micha solle sich mal einen richtigen Job suchen – der Mann, der er jetzt sei, sei ein anderer als der, den sie einst kennengelernt habe.

Micha zappelte noch ein bisschen, er versuchte, seine Freundin milde zu stimmen und den Kindern den Grundsatzstreit ihrer Eltern vom Halse zu halten. Aber irgendwann konnte auch er nicht mehr die Augen verschließen vor der Erkenntnis, dass seine engagierte Vaterschaft ihn für seine

Freundin zum unsexysten Mann unter der Sonne gemacht hatte. All die schönen gesunden Biobreirezepte, seine ausgefeilte Gute-Nacht-Geschichten-Vorlesetechnik, seine Art, mit dem Fahrradanhänger gekonnt die Spielplätze des Prenzlauer Bergs anzusteuern – umsonst. Die Frau liebte ihn nicht mehr. Und um ihm noch mal richtig eine zu verpassen, betonte sie bei jeder sich bietenden Gelegenheit ihre finanzielle Macht und seine soziale Ohnmacht.

Wir sitzen im Café, Micha dreht seine Bionade-Flasche nervös in der Hand. »Ich habe alles falsch gemacht«, sagt er in seinem weichen Sächsisch, »ich habe meiner Freundin vertraut, habe alles gemacht, wie sie es wollte, und jetzt kann ich abhauen. Verträge oder so was, was wem gehört oder so, haben wir natürlich nicht gemacht. Mensch, ich bin doch aus'm Osten, so was hab ich doch nie gebraucht. Naja«, sagt er, »dachte ich jedenfalls.«

Micha, schwant mir gerade, ist eigentlich so etwas wie eine Macchiatomutter, nur mit dem kleinen Unterschied, dass er im Körper eines Mannes gefangen ist. Es gibt viele solche Frauen hier im Prenzlauer Berg. Frauen, die vertraut haben in das Familienmodell längst zurückliegender Jahrzehnte, als der eine das Geld ranschaffte und der andere die rückwärtigen Dienste versah. Anfangs ist ein derartiges Arrangement eine Verheißung: eine Auszeit vom Arbeitsalltag, vom Anspruch, etwas werden, schaffen, darstellen zu müssen. Man tauscht diese Rolle gegen eine Zuschreibung, die gesellschaftlich geadelt ist: die der Vollzeitmutter. Oder, wie in Michas Fall, die des Vollzeitvaters. Man gibt sich her für das Beste, was man hat: die Kinder.

Aber dann hakt es irgendwann. Und zwar nicht unbedingt deshalb, weil die Liebe schwindet. Sondern weil dieses Modell im einundzwanzigsten Jahrhundert kaum noch funktioniert. Arbeitsplätze sind heute Zeitverträge, Tariflöhne ein Wort aus einer anderen Zeit. Sichere Arbeitsbiografien sind einfach passé! Und wer sich da mal eine Zeit lang rausbeamen möchte, für den kommt ein Kind manchmal gerade recht. Endlich mal frei vom Druck sein, sich beweisen zu müssen, davon, Kollegen zu haben, die alles andere als nett sein können, sich tagsüber die Freiheit nehmen, Kaffee zu trinken und dem Baby beim Wachsen zuzusehen. Ein schöner Gedanke, der auch mir nicht fremd ist. Als es im Job eine Zeit lang mal weder vor noch zurück ging, stellte auch ich zu Hause den Antrag auf ein weiteres Kind. Gott sei Dank verfüge ich über einen Mann, der diese Idee als das enttarnte, was sie war: Flucht vor Verantwortung. Wir ließen das dann mal schön bleiben.

Und Micha? Der muss nun gehen. Muss seinen geliebten Prenzlauer Berg verlassen und in den billigeren Wedding ziehen, weil das eigentlich ja liebevoll und zeitgemäß gedachte Arrangement zweier Erwachsener gescheitert ist. Eine Wohnung, die er bräuchte für sich und die Kinder, gibt es hier schon lange nicht mehr. Er hat wirklich alles versucht.

Micha, der arglose Teilzeitvater, kann sich das alles nicht mehr leisten. Er fragt sich nun, was das eigentlich für Leute sind, mit denen er in den letzten Jahren so locker und entspannt auf den Spielplätzen rumgesessen hat. Wie die sich das leisten können: sich um die Kinder kümmern, Zeit haben, gut zu leben. Er sieht ihre Autos, die groß sind und dunkel. Er hört sie von Tilgung und Abschreibung reden, und erst jetzt fällt ihm bei einigen der schwäbische, der fränkische, der Hamburger Akzent auf. Es ist die westdeutsche Erbengeneration, deren Eltern den Kindern rechtzeitig was Eigenes in Berlin gekauft haben und ihnen – wegen der Enkel – den zehn Jahre alten Audi vor die Tür gestellt haben.

Die waren in solchen Dingen einfach schlauer und schneller, und vor allem finanziell besser gepolstert.

Micha nimmt ihnen das nicht krumm, er ist kein Übelnehmer. Er ist nur traurig, weil er gehen muss. Er ist jetzt Ende vierzig, im Spätsommer kommt Paul in die Schule, eigentlich bräuchte der kleine Schulanfänger nichts mehr in dieser Zeit als sichere Verhältnisse. Eltern, die sich lieb haben, jemanden, der aufpasst, dass das Turnzeug eingepackt ist, der ihn tröstet, wenn er schon wieder nicht den Aufschwung beim großen A hinkriegt.

Micha muss jetzt los, Clara und Paul vom Kindergarten abholen. Er wird ihre Schuhe zubinden, auf dem Spielplatz noch eine Runde das Karussell drehen, und dann werden sie gemeinsam nach Hause gehen, Abendbrotzeit. Seine Freundin und er werden sich anschweigen, und wenn Micha abends in sein Zimmer geht, wird er darüber nachdenken, wie das alles kommen konnte und was er eigentlich mitnehmen kann aus der Wohnung, wenn er rüber in den Wedding umzieht.

Die Grundschullehrerin oder Ich bin Vollossi

Ich bin mit der Lehrerin vor ihrem Haus verabredet. Allerbeste Prenzlauer-Berg-Lage, Mütter, Kinder, Touristen flanieren hier ins Wochenende, hinter dem Haus liegt der verwunschene Jüdische Friedhof. Als sie herauskommt, drückt sie fest meine Hand, wir sind gleich beim Du. Das hier ist ein stinknormaler Sozialbau, sagt sie. Wir gehen Kaffee trinken.

Ich bin Vollossi. Wenn mich einer fragt, was bist du denn für eine – dann antworte ich: Vollossi. Das sagt doch alles, oder? Geboren bin ich in Brandenburg, aufgewachsen an der Ostsee, und hier im Prenzlauer Berg lebe ich seit bald dreißig Jahren. Aber jetzt will ich weg, jetzt will ich mich verändern. Denn irgendwie geht's für mich hier nicht mehr weiter.

Ich bin Grundschullehrerin, und zwar sehr gerne. Ich bin so eine für die ganz Kleinen, die liebe ich über alles, mit denen macht mir die Arbeit richtig Spaß. Einmal, das ist schon einige Jahre her, habe ich eine Klasse bis zur Sechsten begleitet, da bin ich am Schluss echt an meine Grenzen gestoßen. Die Kinder fangen dann schon an zu pubertieren, und ich hatte ihnen auch Stoff zu vermitteln, den musste ich mir selbst erst mal draufschaffen … Seitdem weiß ich das ganz genau: Ich bin eine für die Kleinsten.

Seit zwölf Jahren arbeite ich an derselben Schule. Die hat einen sehr guten Ruf, die Eltern setzen Himmel und Hölle in Bewegung, um ihre Kinder bei uns unterzubringen. Wir liegen ja auch da, wo der Prenzlauer Berg am schönsten ist. Wo es die meisten Kinder gibt und mit ihnen die Eltern, die das Beste, nur das Beste für ihre Kinder wollen. Das kann ich ja auch gut verstehen, ich würde es nicht anders machen, würde auch wollen, dass mein Kind, mein Schatz, die beste Schule besucht.

In meiner Klasse habe ich zweiundzwanzig Schüler, wir haben zusammen vor vier Jahren angefangen, gerade schreibe ich zu Hause die letzten Zeugnisse für sie. Das macht mich jetzt schon traurig, die hergeben zu müssen – wir hatten so eine wunderbare Zeit miteinander, haben unglaublich viel zusammen erlebt. Ach! Sie werden mir fehlen. Gleichzeitig ist das aber auch eine gute Gelegenheit, endlich etwas Neues zu probieren, mich noch mal zu verändern. Ich bin jetzt achtundvierzig, da wird's Zeit, finde ich.

Meine Söhne sind groß, einer ist schon ausgezogen, der andere ist sechzehn. Vor einem Jahr habe ich noch mal geheiratet – die Liebe meines Lebens. Kutte ist so ein toller Mann, endlich mal einer, der mich auch stützt, den ich nicht immer betuddeln muss, ich bin so froh, den getroffen zu haben. Erst jetzt merke ich, wie nach all den Jahren der Druck von mir abfällt, alles alleine hinkriegen zu müssen: die Söhne, die Arbeit, mein Glück. Und weil das so ist, haben Kutte und ich uns vorgenommen, unser neues gemeinsames Leben ein bisschen zu entschleunigen. Wegzugehen aus dem Prenzlauer Berg, vielleicht sogar weg aus Berlin, irgendwohin, wo es ruhiger ist, weniger Druck, mehr Grün.

Hier ist mir das zu viel Stress. Der Prenzlauer Berg ist heute alles andere als entspannt, die Ecke hat sich unheimlich verändert. Rausche-Alltag nenne ich das immer – also zu viel Hektik, zu viel Repräsentation, zu viel

Missmut dabei. Das will ich nicht so haben, ich bin nämlich ein grundsätzlich positiver Mensch. Und gerade deshalb spüre ich sehr deutlich, wie die Situation hier an mir nagt, dass ich auch empfindlicher werde. Als Lehrerin habe ich ja einen Beruf, wo jeder mitmischt, jeder eine Meinung hat. Vor allem natürlich die Eltern. Ich spüre ihr Misstrauen, ich kriege mit, was für einen schlechten Ruf wir Lehrer haben. Das nervt mich.

Bis vor einigen Jahren waren die Kinder in meinen Klassen noch gemischt von der Ost-West-Herkunft. Das ist aber inzwischen komplett gekippt, mittlerweile sind die Wessis weit in der Überzahl. Von meinen zweiundzwanzig Elternpaaren in der Klasse sind – Moment, ich muss mal nachzählen – zwei Mütter aus dem Osten und ein Vater, nein Moment, zwei Väter sind es, mehr nicht. Natürlich spüre ich, dass viele mir als Ostlehrerin mit Vorurteilen begegnen. Manchmal glaube ich, die denken, da kommt gleich Margot Honecker um die Ecke. Und dann bin's aber doch ich.

Ich kann mich noch gut an die erste Elternversammlung meiner jetzigen Klasse erinnern. Oh Gott, war ich da aufgeregt! Du kannst fünfzig Jahre Lehrer sein, vor Elternversammlungen machst du dir immer in die Hose. Also, die Mütter und Väter sind so reingewischt in den Klassenraum, viele waren schon älter, einige haben nicht mal gegrüßt. Ihre Blicke sagten: »Na, ob du das kannst? Das gucken wir uns erst mal an.« Ach du Schande, dachte ich, die haben überhaupt kein Vertrauen, prost Mahlzeit!

Eine Stunde später war's geschafft. Am Ende der Versammlung kamen Eltern zu mir und haben gesagt: »Jetzt wissen wir, bei Ihnen sind wir richtig.« Wie ich das gemacht habe? Ich war einfach ich selbst. Zuerst mal bin ich zu jedem hin und habe ihm die Hand gegeben. Das hat die Eltern ein bisschen irritiert. Der Vollossi in mir, der will und muss die Hand geben und möchte damit auch zeigen, woher er kommt. Dann habe ich erzählt, wie ich arbeite. Dass es bei mir jede Menge Rituale gibt, feste Abläufe, damit die Kinder Strukturen kriegen: also den Morgenkreis zum Beispiel und den Wochenplan, bei mir wird außerdem viel gesungen. Dann habe ich gesagt, dass ich jedes Jahr mit den Kindern eine Klassenfahrt mache, und erklärt, warum ich welche Unterrichtsmaterialien benutze und welche nicht. Bei mir gibt es zum Beispiel keine Fibel, das irritiert die Eltern immer. Wie, was, keine Fibel? Ich sage dann: »Wozu brauchen die Kinder die? Wir basteln uns selber eine, das macht auch mehr Spaß.«

Ganz wichtig fanden die Eltern natürlich, dass ich nicht benote. Ich schreibe verbale Beurteilungen. Das kostet viel Kraft und Zeit, aber ich finde, man kann mit Zensuren nicht die Persönlichkeit eines Kindes ausdrücken. Wenn da eine Zwei im Zeugnis steht, weiß kein Mensch, ob und wie viel das Kind dafür arbeiten musste, das hilft ja keinem weiter, nicht dem Schüler und nicht den Eltern, die wissen möchten, wie sich ihr Kind in der Schule so macht. Deshalb schreibe und schreibe ich, erst gestern Abend wieder bis in die Puppen.

Natürlich gibt es auch Grenzen. Ich habe zum Beispiel nie meine private Telefonnummer rausgegeben – wer mit mir reden wollte, konnte über die Elternsprecher an mich herantreten. Das hat auch immer gut funktioniert. Aber dann sind wir auf Klassenfahrt gefahren, und ich habe in den Elternbrief meine Handynummer geschrieben, ganz klein und mit dem groß gedruckten Hinweis: NUR IM NOTFALL! Was soll ich sagen? Ich habe unterwegs SMS bekommen wegen Nichtigkeiten, Zähneputzen und so was. Das habe ich dermaßen bereut. Bis heute werde ich privat angerufen, wenn eine Mutter abends um zehn wissen möchte, wie Luises Nilpferd-Vortrag gelaufen ist.

So was nervt mich, das berührt mein Privatleben, und da, finde ich, ist bei mir auch irgendwann mal Feierabend. Außerdem: Was lernen die Kinder daraus, wenn ihre Eltern sich so verhalten? Meine Schüler können schon sehr früh erstaunlich viel, woran es ihnen aber mangelt, das sind Umgangsformen. Höflichkeit, Respekt, Grüßen, einfach Erziehung im ursprünglichen Sinn. Das ist ein Punkt, an dem ich immer wieder ansetzen muss bei den Kindern. Viele kennen überhaupt keine Grenzen, sie können Gesten ihres Gegenübers nicht deuten und denken, die Welt gehört nur ihnen. Eine gute Tat – was ist das? Ich übe das mit ihnen ein. Sie tun dann jemandem einfach mal einen Gefallen, sie sagen etwas Freundliches oder legen der Mama abends einen lieben Zettel auf den Teller. Einfache Dinge, mit denen sie anderen eine Freude machen und aus denen sie auch selber ein gutes Gefühl schöpfen können.

Toll ist an den neuen Zeiten im Prenzlauer Berg, dass die allermeisten Familien keine Geldprobleme kennen. Wenn ich einen Ausflug nach Brandenburg plane, kostet das mit der Fahrkarte 10, 15 Euro. Die Klassenfahrt nach Mecklenburg hat 120 Euro gekostet. Oder neulich habe ich die Eltern gefragt, ob ich von einem Lesebuch, das nicht im Rahmenplan vorgesehen ist, einen Klassensatz bestellen kann, Kostenpunkt 8 Euro pro Kind. Das war alles kein Problem, Geld ist da, und wer einen Zuschuss für die Klassenreise braucht, beantragt das beim Amt, und im Nu ist es auf dem Konto.

Immer schwieriger wird es aber, in den Kindern die Lust auf Abenteuer zu wecken. Womit kann man jemanden noch verzaubern, der schon alles hat? Jemanden, der alles kriegt und schon so irre viel in seinem kurzen Leben gesehen und erlebt hat? Die Kinder haben ja einen riesigen Freizeitstress, nach der Schule ist bei denen längst nicht Schluss, sie gehen zum Sport, Tanzen, Sprachunterricht, praktisch jedes Kind in meiner Klasse lernt ein Instrument. Und wenn ich dann komme und sage, wir gehen ins Museum – stöhnen sie natürlich: Och nee, muss das sein? Es sind satte Kinder, denen es an Anstrengungsbereitschaft fehlt, viele sind lustlos und meckern rum. Das stört mich offen gesagt.

Mit meiner Klasse, das war toll, wie gesagt. Aber ich will auch noch mal was Neues anfangen, mit Kindern, die neugierig sind und die ich noch mitreißen kann. Um mich herum sind viele Freunde krank geworden in den letzten Jahren, einige sind an Krebs gestorben. Ich höre die Uhr ticken. Und ich möchte, dass meine jetzt mal ein bisschen langsamer geht, ich will mehr Lebensqualität. Hip sein, in sein – Dinge, die hier in der Ecke sehr wichtig sind, das ist mir zunehmend egal geworden. Ich will jetzt die guten Jahre mit Kutte.

Die Lehrerin sagt, sie muss nach Hause. Auf ihrem Schreibtisch warten die Zeugnisse. Zwei Tage später telefonieren wir. Sie ist krankgeschrieben, vom vielen Schreiben hat sie eine Sehnenscheidenentzündung bekommen. Jetzt erledigt sie das portionsweise: vormittags zwei Stunden, nachmittags zwei. In drei Wochen beginnen die Ferien. Das schafft sie noch.

Diese Wissmanns oder

Schönstes Westfalen jenseits Westfalens

Die Wissmanns räumen auf. Jetzt, abends um neun, schlafen ihre drei Kinder nebenan in ihren kleinen Betten, sie schnorcheln einem neuen Junitag entgegen. Vor den Fenstern der Altbauwohnung ist gerade ein sensationelles Frühlingsgewitter heruntergekommen, die Luft riecht feucht und schwer nach fortgespülten Lindenblüten. In der Wohnküche der Wissmanns ist der lange Tisch noch übersät mit allem, was so ein Familientag an Spuren hinterlässt: Müsliкleckse, leere Breigläschen, halb ausgetrunkene Plastikbecher. Dazwischen braun werdende Apfelschnitze und ein bunt gestreiftes Lätzchen.

Die Wissmanns räumen nun zügig alles an seinen Platz, Hand in Hand geht das. Anschließend holen sie eine Flasche Weißwein aus dem Kühlschrank und schenken dem Gast ein. Dazu gibt's Wasser aus einer Karaffe, an deren Boden energetische Kieselsteine liegen. An der Küchenwand hängen Kinderbilder, in einem Setzkasten warten zwei Dutzend homöopathische Medikamente auf den Ernstfall. Susanne Wissmann sagt: »Ich bin eine Ökonudel.« Siebenunddreißig Jahre wird sie morgen alt, ihr Mann Jürgen ist dreiundvierzig. Die beiden, er Lehrer, sie Lateinamerikawissenschaftlerin und gerade zu Hause mit dem dritten Kind, sind ein Ost-West-Paar im Prenzlauer Berg. Geradezu archetypisch stehen sie für die sympathisch anmutende Sorte jener Familien, die im Bötzowviertel wohnen, weil das Leben hier schlicht perfekt für sie ist. Mit ihren zwei Söhnen und der Tochter bilden sie den guten Durchschnitt, das, was üblich ist: Vater, Mutter, Kind, Kind, Kind. Mehr Nachwuchs als anderswo im Lande üblich, gewiss, aber hier, im schönen und von Touristen noch nicht so heimgesuchten Viertel des Prenzlauer Bergs fallen die Wissmanns damit nicht weiter auf.

Susanne Wissmann erzählt, wie sie das dörfliche Leben hier im Kiez zu schätzen weiß. Die sechsjährige Raja schickt sie morgens allein zum Bäcker – jeder hier kennt das Kind, alle passen auf. Und wenn Frau Wissmann am Nachmittag zwischen Kita, Biomarkt und der Eigentumswohnung unterwegs ist, dauert das einfach mal etwas länger, so viele Schwätzchen gilt es zu halten. Susanne Wissmann genießt das. Sie kommt aus einer Kleinstadt in Westfalen, hier zu leben fühlt sich fast wie zu Hause an. Nur mit dem Unterschied, dass zum gewohnten und gewünschten dörflichen Ambiente auch sämtliche Annehmlichkeiten einer Weltstadt hinzutreten. Im Moment, mit den drei kleinen Kindern, ist ihr selbstredend das Provinzielle wichtiger, die schöne Überschaubarkeit, die Sauberkeit, der allen gemeinsame Lebensentwurf.

Was sie aber stört, sind die Vorurteile. »Was soll die ewige Anmache von wegen Latte macchiato und Prenzlauer Berg«, schimpft sie. »Ich verstehe es nicht. Mein Mann ist Ossi und wohnt seit Ewigkeiten hier, ich bin als ›Wessi-Tussi‹ vor zehn Jahren dazugestoßen. Latte macchiato mögen wir beide nicht, und unsere Kinder haben auch nie in einem dieser sauteuren Bugaboo-Kinderwagen gethront.« Die beiden Wissmanns fragen sich, was es so viele Jahre nach dem Mauerfall eigentlich zu meckern gibt daran, dass Leute wie sie und all ihre Freunde jetzt hier leben. Gerade Jürgen Wissmann kann das Ost-Gejaule nicht mehr hören – er kommt ja von da. »Mein Problem ist: Ich bin kein Ossi mehr. Ich bin zum Beispiel zweiundzwanzig Jahre nach 1945 geboren worden – ist der Krieg deshalb mein Thema? Sicher nicht. Und so ist es auch mit der DDR, die ist einfach vorbei, Gott sei Dank!«

Also gibt es im Osten keinen Osten mehr? Weil der Osten jetzt den Westlern gehört? Nein, nein, sagen beide, Überreste gebe es noch in ein paar Ecken: ein kruschteliger Schreibwarenladen in der Hauptstraße fällt ihnen ein, eine alteingesessene Textilreinigung ... und natürlich die DDR in den Schulen, der alte Mief von Volksbildung. »Das«, stöhnt Jürgen Wissmann, »erledigt sich nur über Aussterben, da ist noch vieles superostig.« Er weiß, wovon er redet, Raja geht in die erste Klasse.

Aber bis auf die paar postsozialistischen Grundschullehrerinnen findet er es ganz und gar himmlisch hier im Bötzowviertel. Er schwärmt von der Infrastruktur für Familien, von den vielen Spielplätzen, den Straßenfesten und den kleinen Initiativen der Leute hier. Als zum Beispiel die Bibliothek geschlossen werden sollte, haben die Bewohner des Viertels dafür gesorgt, dass sie offen bleibt und die Ausleihe selbst organisiert. »So was geht ja auch nicht«, sagt Susanne Wissmann, »in Laufnähe von allein drei Grundschulen muss es doch eine Bibliothek geben!«

Nein, das geht natürlich nicht. Kinder gibt es hier jede Menge, sie sind das lebendige Prinzip des Viertels, Ausdruck von Lebensqualität und Gruppenzugehörigkeit. Leider, das finden auch die Wissmanns, sieht man in den Straßen so gut wie keine alten Leute mehr. Auch aus ihrem Wohnhaus sind inzwischen die letzten Altmieter ausgezogen, nachdem sie erfahren hatten, dass die Mietobergrenzen hier im Bötzowviertel gekappt werden. »Wir gehen freiwillig, bevor wir dazu gezwungen sind«, haben sie zu den Nachbarn gesagt und ihre Sachen gepackt. »Schade«, sagt Jürgen Wissmann, es wäre gut, wenn die Kinder auch mal was anderes als Kinder und Eltern sehen würden, Abwechslung hätten, »aber es ist doch allgemein zu beobachten, dass die Generationen vereinzeln«. Hier die Jungen mit den Jüngsten, irgendwo anders die Alten, Armen, Schwachen. Warum sollte das hier anders sein?

Im Bötzowviertel sind eben nicht nur alle jung und gebärfreudig. Susanne Wissmann findet es zusätzlich angenehm, dass in den Straßen und Cafés, auf den Spielplätzen und Elternversammlungen alle gut und gesund ernährt aussehen. »Ich kenne hier kein fettleibiges Kind«, sagt sie, »das muss an der Ernährung liegen.« Und was ist mit Unterschieden, frage ich, soll ein Kind nicht wissen, dass es verschiedene Menschen gibt – auch Arme, Kranke, Benachteiligte? Gehört das nicht zum Erwachsenwerden, zu wissen, dass es Ungerechtigkeit gibt, Scheitern, manchmal einfach Pech? Susanne Wissmann stellt eine Gegenfrage: »Müssen wir in einen Problembezirk ziehen, um unseren Kindern die Realität zu zeigen? Wir sind nicht traurig, wenn wir das nicht haben, ehrlich.« Und Jürgen Wissmann erklärt: »Ich fahre ja auch nicht zum Ballermann, um den Kindern Säufer zu zeigen.« Ihm ist dennoch wichtig, dass die Kleinen nicht wie im Gewächshaus aufwachsen, deshalb waren sie erst neulich mit der ganzen Familie bei der Langen Nacht der Museen. Da hätten die Kinder in den Galerien eine sehr breite Mischung verschiedenster Leute sehen können: Rentner, Intellektuelle, andere Kinder. Na gut, keine Armen oder so. Aber es war doch insgesamt sehr schön.

Außerdem: Natürlich gibt es auch hier im Viertel Reibungen. Nicht jeder findet es großartig, morgens beim Bäcker erst einmal Linn und Carl-Josef den Vortritt zu lassen, weil die so süß sind und heute mal ganz alleine üben sollen, Laugenstangen zu kaufen. Nicht jeder ist stets bereit, auf dem Weg zur Arbeit einen verkehrsbehindernden Cluster aus Buggys, Lauf- und Erwachsenenrädern zu umkurven. Nicht jeder lächelt, weil die frisch gewaschene und abgefrühstückte Familienformation die Ampel blockiert. Manche werden ungemütlich. Unnötig findet das Jürgen Wissmann. Als er neulich vor der Haustür an Rajas Fahrradhelm rumfummelte, kam eine Frau vorbei und maulte was von »Scheißgören!«. »Du bist doch auch mal klein gewesen!«, hat er ihr hinterhergerufen. »Ist doch so«, sagt er. Das große Problem dieser Gesellschaft seien die blöden Pauschalisierungen. Kinder, Hunde, Ausländer – wer so denkt, kommt nicht weiter. Für ihn verlaufen die Grenzen nicht zwischen oben und unten, wie es die politische Linke einst postuliert hat, sondern »zwischen dir und mir«.

Er will nicht ausgegrenzt werden, weil er Kinder hat. Verständlich. Und normalster Normalalltag hier im Viertel. Man möchte gar nicht darüber nachdenken, welchen Schock die Wissmanns erleiden würden, wenn mit ihren Kindern so verfahren würde wie anderswo in deutschen Städten: misstrauisch, grob und abkanzelnd. Schattige Spielplätze, schlechte Kitas, dröhnender Verkehr – also bundesdeutsche Normalität. Derlei müssen die Wissmann-Kids nicht befürchten. Hier sind sie kleine Könige, wer sie ärgert, muss mit Ärger rechnen.

Seit letztem Herbst zum Beispiel boykottiert Susanne Wissmann ein sehr angesagtes Café im Kiez. Dort hatte man ihr und den drei Kindern einen Tisch neben der Tür zugewiesen. Unmöglich findet sie das, inakzeptabel. So nicht, liebe Leute, sagte sie, bei euch habe ich zwar meine Hochzeit gefeiert – aber wer mir kinderfeindlich kommt, der muss sich andere Gäste suchen. Und genauso hält sie es jetzt. Sie trinkt sowieso nicht besonders gern Latte macchiato. Und es tröstet sie, dass sie hier nicht allein ist mit ihrer Haltung. Die Familien halten zusammen, zelebrieren ihren Lebensentwurf. »Ich wollte immer Karriere machen«, sagt Susanne Wissmann, »ich habe in einer Umwelt-Consultingfirma gearbeitet. Aber nun habe ich die Kinder. So ist das jetzt in meinem Leben, und dafür gibt es einfach keine bessere Ecke als diese hier. So wie ich bekommen auch andere Frauen nicht nur ein, sondern zwei, auch drei Kinder. Das finde ich toll. An der Supermarktkasse werde ich vorgelassen, jemand packt mir die Lebensmittel ein, wo findet man so was schon?«

Diesmal, also beim dritten Kind, gönnt sie sich den Luxus, ein zweites Jahr zu Hause zu bleiben. Erst wenn sie so weit ist, wenn der Kleine zuverlässig in die Kita eingewöhnt ist und sie Lust hat, wieder zu arbeiten, will sie ihren früheren Chef anrufen und fragen, ob er wieder was für sie zu tun hat. Zum Glück ist ihr Mann verbeamtet. Bei seinen Schülern sieht er ja, wo es hingeht in diesem Land. Wer nicht an sich arbeitet, wer nichts bringt oder versagt, hat es schwer.

Den Wissmann-Kindern wird das nicht passieren, ihre Eltern achten von Anfang an darauf, dass sie sich optimal entwickeln, dass sie gesund sind, gut gefördert werden, eine glückliche Kindheit haben. Das fängt schon mit dem richtigen Kindergarten an. Der mittlere Sohn besucht die Waldkita, da war Raja auch schon, und der Jüngste wird als Geschwisterkind ebenfalls dort hingehen. Es mag ein bisschen seltsam wirken, dass Kinder aus dem Herzen einer Großstadt jeden Morgen emissionsintensiv aufs Land gefahren werden.

Aber die Wissmanns haben gute Gründe. Sie wollen, dass ihre Kinder von klein auf jeden Tag mehrere Stunden lang an die frische Luft kommen, und leider haben sie in der Großstadt keine andere Kita gefunden, bei der das so gehandhabt wird wie in einer Waldkita.

Dafür bringt Susanne Wissmann den mittleren Sohn pünktlich halb neun zum Kollwitzplatz – eine logistische Herausforderung, wenn man außerdem jeden Tag ein Grundschulkind in die Spur setzen muss und ein einjähriges Kleinkind hat. Von dort, von der urbanen Mitte der Hauptstadt, werden die Kinder zwanzig Kilometer weit an einen Brandenburger See gefahren, wo sie sich wie gewünscht bis halb eins und bei allen erdenklichen Witterungsbedingungen in der freien Natur aufhalten. Anschließend geht's wieder mit dem Bus zurück in den Prenzlauer Berg, wo sie Mittag essen und anschließend bis fünf Uhr nachmittags betreut werden.

Ich frage die Wissmanns, warum sie nicht aufs Land ziehen, wenn ihnen für die Kinder die frische Luft, die grünen Wiesen und der weite Blick so wichtig sind. Auch in Kleinstädten könne man glücklich werden, das wüsste ich sicher. Nein, sagt Susanne Wissmann, das würde nichts bringen – »im Osten gibt's ja keine Waldkitas«. Ja klar, sage ich, aber die braucht's ja auch nicht, wenn da alles grün ist. Nein, sagt auch Jürgen Wissmann, sein Job ist in der Stadt, da werde er gar nicht erst mit dem Pendeln anfangen. Er züchte ja auch keine Hühner, um Eier essen zu können. Viele hier kämen vom Land, da sei es doch logisch, dass die für ihre Kinder ein Stück Natur haben wollten, oder?

Ach, diese Wissmanns! Ökonudeln, Kinderkrieger, Landeier, Großstädter – alles in einem. Als ich wieder draußen vor ihrer Haustür stehe, in der kleinen ruhigen Straße, habe ich das dringende Bedürfnis, auf der Stelle etwas Falsches zu tun. Mich zu betrinken zum Beispiel. Zwanzig Zigaretten hintereinander zu rauchen. Gegen ein Lauflernrad zu treten. Oder einen Doppelwhopper aus Industriefleisch mit genmanipulierten Pommes zu essen. So etwas. Nichts dergleichen tue ich. Ich schiebe mein Rad durch die feuchte warme Nacht, in den Pfützen schwimmen die Lindenblüten. Und bei den Wissmanns schnarchen drei süße Kinder in ihren Betten, einem neuen, gesunden, aufregenden und vollwertigen Junitag entgegen.

Ausreise oder Würdelose rote Sneaker im Gepäck

Laaaangweilig«, seufzt das Kind neben mir in der Eisdiele, als das Biomangoeis ohne Crunchy-Streusel kommt. »Laaaangweilig«, stöhnt die Kundin im Biomarkt beim Anblick von nur drei Sorten Frühkartoffeln. Laaaangweilig, denke ich, weil es beim Barista immer nur die gleichen sechzehn Sorten Kaffee gibt. Schon wieder Galão ordern? Ich bräuchte jetzt echt mal was Neues, denke ich, was Ansprechendes, irgendwas, was mich kickt und aus meinem ganz und gar durchgestylten Metropolenalltag heraushebelt.

Nach drei Monaten Muttibezirk bin ich betriebsblind geworden. Korrumpiert und gebauchpinselt von all den Annehmlichkeiten, die das Großstadtleben auf Ökoniveau bereithält. Gesättigt vom Anblick schöner, gesunder Menschen, ihrer Kinderwagen und Fahrradanhänger, in denen wiederum schöne gesunde Menschen im Kleinformat thronen. Jeden Tag esse ich Biobrot mit Biopesto drauf. Meinen Bioespresso werte ich mit Biomilch auf, und wenn ich Lust auf was Süßes habe, gönne ich mir ein bisschen fair gehandeltes Schoki oder kaufe mir einen Biobrownie. Damit setze ich mich dann auf die Spielplatzbank, lese *taz* und *Süddeutsche* und freue mich an dem entspannten Weben und Leben in der größten Kleinstadt Deutschlands. Ist doch super.

Ja, der Prenzlauer Berg macht es mir leicht, mich zu vergessen. Also jene Person, die zurückgekommen ist, um mal zu gucken, was hier so nervt. Mich, die aus der Provinz eingereist ist und sich ganz sicher war, hier von entfremdeten, verwöhnten Hedonisten und ihren Spitzenkindern gestört zu werden. Stattdessen erlebe ich nette Menschen, die gerne hier wohnen. Erst habe ich noch gelächelt über die stolze Kriegerinnenhaltung der Buggyfrauen. Mir ist die Kinnlade runtergefallen beim Anblick von 30-Euro-Biobaumwolle-Stramplern, Babyyoga-Studios und Mütteraufläufen im öffentlichen Raum. Ich habe mit Sibylle lästernd auf dem Spielplatzmäuerchen gesessen und mich amüsiert über die Premiumeltern. Ich fand sie anmaßend, ihre Hippness und Humorfreiheit provozierend. Und nun? Find ich das alles normal, nur etwas langweilig eben.

Kein Wunder, dass viele der Leute, die ich hier in den letzten Monaten kennengelernt habe, nicht wissen, was ich überhaupt meine, wenn ich von Macchiatomüttern oder Bionade-Biedermeier spreche. »Meinst du mich?«, fragen sie, »ach, das sind doch alles blöde Klischees.« Ja, so würde ich auch denken, wenn ich Tag für Tag hier leben würde. Das merke ich jetzt. Alles, was mich zu Beginn erfreut oder aufgeregt hat, wird verdammt schnell zur Normalität. Alles, was hier laut der neuen sozialen Ordnung eigentlich nicht hingehört, zur Störung. Sogar meine eigenen Landsleute gehen mir schon auf den Keks. Und das geht nun wirklich zu weit.

Gestern erst fuhr ich in der Dämmerung mit dem Fahrrad. Ich ließ es ruhig angehen, wie immer, seit ich hier wohne. Ganz entspannt die Straße runtertrudeln, den Rock im Abendwind bauschen lassen, an die Ampel ranrollen – gucken, ob ich nicht einfach bei Rot rüberkann. In der Ferne sah ich Autoscheinwerfer. Der ist noch ganz weit weg, dachte ich, und trat schon mal in die Pedale. Aber nein! Da hatte ich nicht mit der Schnelligkeit der tiefergelegten Umlandbewohner gerechnet. Das Fahrzeug war mit weit mehr als den vorschriftsgemäßen fünfzig Stundenkilometern unterwegs, und als es mir fast schon ins Hinterrad reingebrettert war, kam es unter lautem Quietschen zum Stehen. Gerade noch mal gut gegangen, dachte ich und spürte auch eine leise Freude darüber, dass dieses Auto da das Kennzeichen meines Brandenburger Heimatkreises trug. Doch dann öffnete sich das Fahrerfenster und ein kurzrasierter Jungmann blökte mich an: »Ej, du Fotze, jeht's noch? Bist du noch janz sauba oda watt? Runta vonne Straße!«

Ganz ehrlich? Das war wie Nachhausekommen. Wie in einem emotionalen Schnellwaschgang spürte ich zuerst meine Empörung darüber, hier, im gentrifizierten Innenstadtbezirk auf diese unerhörte Weise von solch einem Penner angepöbelt zu werden. Aber fast genauso stark war jener Impuls des Wiedererkennens, ein Impuls, den Kinder und Jungvögel verspüren, wenn sie die Stimme der Mutter hören, ihren Flügelschlag. Ja, dieses raue Idiom, diese brutale Kommunikation war doch seit langen Jahren meine Sprache. So verhandelten wir Brandenburger unsere Konflikte: direkt zur Sache kommend, manchmal beleidigend und kompromisslos. Nicht so weichgespült wie hier im Abiturbezirk.

Der Jungmann legte den ersten Gang ein, setzte zurück, umkurvte mich haarscharf und verschwand in einer Eins-a-Dieselwolke am Ende der Straße. Die Begegnung mit ihm war jene Art Erweckung, die ich gebraucht hatte, um wieder zu wissen, wer ich bin und was ich hier tue. Nämlich gucken, was die hier treiben im Prenzlauer Berg. Aufschreiben, wie und warum sie hier spinnen.

Okay, das hab ich nun erledigt. Die drei Monate sind um. Als ich in der Wegwarte mein Zeug zusammenpacke, gibt es da ein paar Sachen, deren Erwerb sich ganz offensichtlich einzig meiner Prenzlauer-Berg-Phase verdankt. Eine Regenjacke mit wild geblümtem Futter zum Beispiel, die zu kaufen ich als Brandenburgerin fortgeschrittenen Alters niemals auch nur erwogen hätte. Grüne Riemchen-Pumps. Und ein Paar himbeerrote Adidas-Sneaker, deren Besitz ich meinen Töchtern werde erklären müssen. Stück für Stück wandert alles in meine Reisetasche. Ich ziehe den Stecker der Leselampe und schaue mich um. Schön war es. Laut war es. Interessant sowieso. Aber tatsächlich bin ich froh, wieder heimreisen zu können. Wenn ich länger bliebe, würde ich mich vergessen.

Ich würde hier möglicherweise doch noch ein spätes Kind kriegen und tapfer so tun, als wäre Mitte vierzig das perfekte Alter dafür. Ich wäre Mitglied einer Baugruppe und würde nur noch halbtags arbeiten – wegen des Kindes und weil man das hier so macht. Einmal in der Woche würde ich abends zum Kirchenchor oder zum Pilates gehen und dort andere Mütter kennenlernen. Samstags würde ich mir was Mädchenhaftes anziehen und mit Concealer meine Augenringe kaschieren. Dann würde ich mit Mann und Kind auf den Kollwitzplatz marschieren und mich tapfer lächelnd an den Buddelkastenrand setzen. Ansonsten würde ich ganz langsam Fahrrad fahren, Unsummen für Kaffee ausgeben, kaum noch selber kochen, nur noch schlaues Zeug reden und mich ausschließlich mit Leuten wie ich selbst eine bin umgeben. Sibylles Nummer würde ich löschen. Und weil dann alles so easy hier wäre und ein bisschen stumpf, würde sich sicher irgendeine dahergelaufene Journalistin finden und mich in meinem natürlichen Lebensumfeld beobachten. Was sie da sähe, würde sie aufschreiben und ein Buch draus machen. Nee, dann lieber ausreisen. Gleich heute.

Danksagung

Es gibt eine Menge Menschen, bei denen ich mich bedanken möchte. Sie haben mich hineinschauen lassen in ihre Leben, obwohl sie wussten, wie ironisch distanziert ich vieles sehen würde. Danke! Andere haben mich immer wieder ermutigt und tapfer ertragen in dieser Zeit. Danke! Wieder andere haben freundlicherweise mit mir auch mal über andere Dinge gesprochen, ohne sie wäre ich im Macchiatokosmos verloren gegangen. Danke! Und die Wichtigsten in meinem Leben haben respektiert, dass ich einfach aus dem Haus am Ende der Sackgasse abgehauen bin, und sie haben gewartet, bis ich zurückgekommen bin. Danke!

André, Anja, Anke, Astrid, Bernd, Bettina, Betty, Carlos, Christian, Christine, Cornelia, Dascha, Diana, Edgar, Erika, Frank, Frieda, Gabi, Georg, Geraldine, Hanna, Ilja, Ina, Inis, Ivan, Jana, Jörg, Josefine, Judith, Julia, Juliane, Levin, Lucia, Marc, Martin, Michael, Michela, Nataly, Nikita, Nora, Oliver, Petra, Rocco, Rolf, Sabine, Sigune, Simone, Susan, Thomas, Ulrike, Uta, Wanda und Wilfried

Großes Extradanke geht an meine Agentin, Lady Barbara Wenner, und an meine kluge und geduldige Lektorin Anne Stadler.

Die Pubertistiun – Ein Jahr in 13 Monaten

Anja Maier
DIE PUBERTISTIN
Die willste nicht
geschenkt haben!
160 Seiten
mit zahlreichen
Abbildungen
ISBN 978-3-8339-3579-4

Es ist spät, als wir uns wieder nach Hause trauen. Unter Murren hatten wir Stunden zuvor unser Haus verlassen müssen. Die Pubertistin hatte uns vor die Tür gesetzt, Begründung: Geburtstagsparty, Anwesenheit von Eltern nicht nur verboten, sondern peinlich. Nur knapp hatten wir ein Rückkehrrecht erwirken können, die Jubilarin hatte allen Ernstes mit uns die Frage diskutiert, ob wir uns nicht in der nahen Kreisstadt ein Hotelzimmer nehmen könnten. Es hakt wohl! sagten wir.